Giuseppe Maria Carpaneto

LOS INVERTEBRADOS

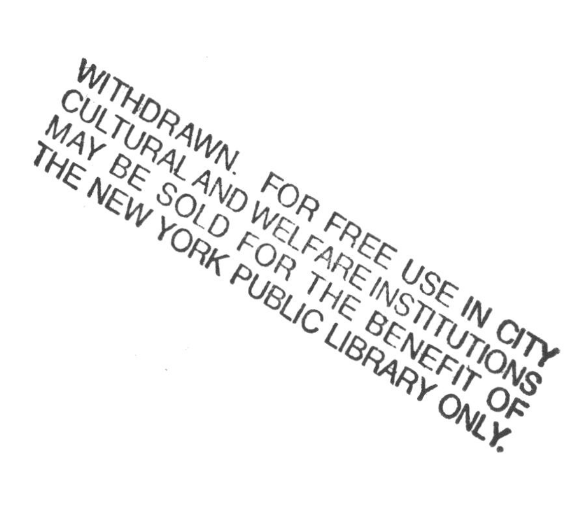

EDITEX

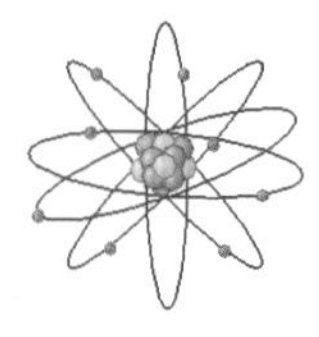

HIPERLIBROS DE LA CIENCIA

Una enciclopedia
dirigida por Giovanni Carrada

VOLUMEN 11
LOS INVERTEBRADOS

Texto: *Giuseppe Maria Carpaneto*
Ilustraciones: *Studio Inklink*
Proyecto gráfico: *Sebastiano Ranchetti*
Dirección artística y coordinación: *Laura Ottina*
Maquetación: *Katherine Forden, Laura Ottina*
Documentación iconográfica: *Katherine Forden*
Revisión de textos: *Roberto Rugi*
Redacción: *Andrea Bachini, Silvia Paoli, Miria Tamburini*
Fotomecánica: *Venanzoni D.T.P.* - Florencia
Impresión: *Conti Tipocolor* - Calenzano, Florencia
Traducción: *Cálamo & Cran*

Avda. Marconi, nave 17. 28021 - Madrid
I.S.B.N. colección completa: 84-7131-920-9
I.S.B.N. volumen 11: 84-7131-931-4
Número de Código Editex colección completa: 9209
Número de Código Editex volumen 11: 9314
Impreso en Italia - Printed in Italy

DoGi
Una producción DoGi, spa, Florencia

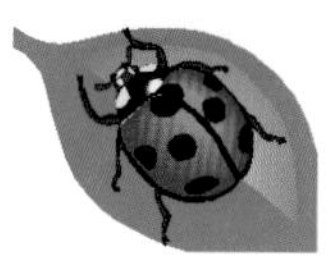

SUMARIO

Cómo se usa un Hiperlibro

Un Hiperlibro de la ciencia se puede leer como se leen todos los libros, es decir, desde la primera a la última página. O también como una enciclopedia, yendo a buscar sólo el argumento que nos interesa. Pero lo mejor es leerlo precisamente como un *Hiperlibro*. ¿Qué quiere decir esto?

La imagen, al lado del título, representa el contenido de cada epígrafe y es siempre la misma en todos los volúmenes.

La flecha grande, que entra en la página desde la izquierda, señala que el contenido está relacionado con el de la página precedente.

Las imágenes dentro de la flecha hacen referencia a los epígrafes anteriores a los que puedes recurrir para ampliar conocimientos sobre el que estás leyendo.

Bajo cada imagen se indican el número del volumen y la página a consultar.

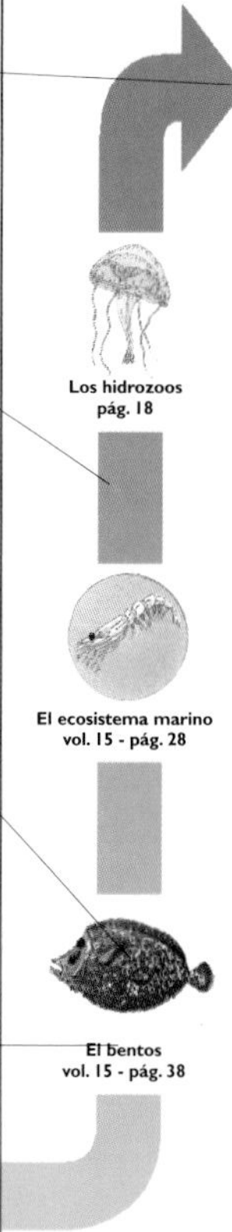

Las madréporas

Los ecosistemas marinos en los que vive el mayor número d especies animales son los arrecifes coralinos. En este hábita presente sobre todo en la franja tropical, vive un sorprender te número de especies animales con una compleja red de re laciones todavía en gran parte desconocidas.
Los arrecifes coralinos son el trabajo de generaciones de colo nias de madreporarios, un orden de antozoos propios de lo mares cálidos y poco profundos. Se trata de pequeños pólipo que viven casi siempre en colonias numerosas, protegidos po un esqueleto calcáreo, y que se alimentan de partículas ali menticias o microorganismos transportados por las corrien tes.
El proceso de formación de un arrecife coralino puede dura milenios, acumulando decenas de metros de espesor. Tod comienza cuando una primera generación de madréporas s asienta en la costa rocosa de una isla volcánica, donde las agua son limpias, cálidas y de poca profundidad, dando lugar a un colonia coralina. A continuación, la lenta inmersión del vol cán o la subida del nivel marino provoca el ensanchamient del brazo de mar entre la colonia y la costa, originando así l

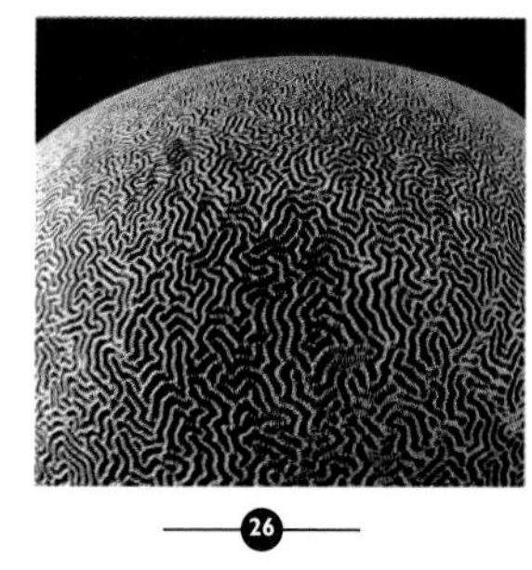

Una madrépora peculiar, la llamada «cerebro de Neptur por la semejanza de esqueleto con los hemisferios cerebral

A la derech madrepóricas en u arrecife coralino. igual que las anémon y las gorgoni las madrépor pertenecen a la cla de los antozoos, dent del mismo *phylu* que las medus

26

Hiperlibros de la ciencia

1 La materia
2 Fuerzas y energía
3 La química
4 Luz, sonido, electricidad
5 El cosmos
6 La conquista del espacio
7 Dentro de la Tierra
8 El clima
9 Los secretos de la vida
10 Las plantas
11 El reino animal - Los invertebrados
12 El reino animal - Los vertebrados
13 El comportamiento animal
14 La ecología
15 Los océanos
16 La vida en la Tierra

En la ciencia, cada argumento está ligado a muchos otros, tal vez pertenecientes a sectores completamente diferentes pero todos importantes para comprenderlo mejor. Encontrarlos no es un problema gracias a los Hiperlibros. El que quiera conocer un argumento, leerá las páginas que se refieren al mismo y, desde ahí, partirá a explorar todas las conexiones, simplemente «siguiendo las flechas».

Por lo tanto, se puede abrir un Hiperlibro en cualquier página y, a partir de esta, navegar en el mundo de la ciencia dejándose guiar por las remisiones ilustradas, siguiendo nuestras búsquedas o la curiosidad del momento.

structura interna de los os de las madréporas uy simple debido al sculo tamaño de cada de los individuos de la nia.

Tentáculo
Boca
Filamento mesentérico
Sifonoglifo
Mesenterio

era coralina. Si el volcán acaba completamente bajo el ni- del mar, se forma un atolón, es decir, una barrera coralina ılar que encierra una laguna. Las madréporas son antozoos eralmente coloniales, aunque existen casos de especies solita- como el del género *Fungia*, un pólipo de grandes dimen- es. La mayor parte de las madréporas pueden vivir sólo en as poco profundas y bien iluminadas, ya que necesitan de imbiosis de algunos microscópicos protozoos fotosintéti- llamados zooxantelas. Estos utilizan los residuos metabó- s de las madréporas (anhídrido carbónico, fósforo y nitró- o) y viven resguardados en sus tejidos; a cambio, producen geno para la respiración de las madréporas y favorecen la mentación del carbonato de calcio para la fabricación de esqueletos. Aunque las madréporas, muy poco agradeci- también utilizan a los zooxantelas como comida.

27

La explosión del Cámbrico vol. 16 - pág. 24

Las barreras coralinas vol. 15 - pág. 64

La simbiosis vol. 14 - pág. 26

La flecha grande que sale de la página desde la derecha indica que el argumento de la página está ligado estrechamente a los de las páginas sucesivas, las cuales lo completan o lo desarrollan, o que continúan la evolución del volumen.

Las imágenes en el interior de la flecha indican las remisiones a los argumentos que pueden leerse después del de la página, para profundizar en él o explorar sus consecuencias.

El rico y puntual conjunto iconográfico y las leyendas completan y ejemplifican el desarrollo del argumento.

---

17 La evolución del hombre
18 El cuerpo humano
19 El mundo del ordenador
20 *Historia de la ciencia y de la tecnología* - De la Prehistoria al Renacimiento
21 *Historia de la ciencia y de la tecnología* - La Revolución Científica
22 *Historia de la ciencia y de la tecnología* - El Siglo de las Luces
23 *Historia de la ciencia y de la tecnología* - El siglo de la industria
24 *Historia de la ciencia y de la tecnología* - El siglo de la ciencia

Los animales en la naturaleza

Hasta ahora los zoólogos han descrito más de 1 500 000 de especies de animales. A este gran reino de la naturaleza pertenecen organismos tan diferentes entre sí como una hormiga y un pez, una mariposa y una ballena, una sepia y un ser humano. Todos estos organismos tienen en común dos cosas: comparten los mismos antepasados y no son capaces de sintetizar la comida ellos solos, como saben hacer las plantas. ¿Por qué existen tantas formas diferentes del ser animal? ¿Y por qué nuestra especie es la más extraña de todas?
La respuesta es sencilla: en el transcurso de aproximadamente 650 millones de años, los animales se han diversificado mediante los mecanismos de la evolución biológica para adaptarse a hábitats naturales muy diferentes entre sí; a las múltiples oportunidades ofrecidas por cada uno de ellos; y a la competencia entre las diferentes especies para aprovecharse de los recursos. Forma y dimensión, aunque aparentemente no tengan significado, son en realidad una adaptación para ejercer mejor una determinada función en la sociedad de la naturaleza, los ecosistemas. Cada una de las especies tiene su propia alimentación y es, a su vez, alimento para otros animales. Aunque todas, directa o indi-

Los reinos de la vida
vol. 9 - pág. 10

La energía de la naturaleza
vol. 14 - pág. 10

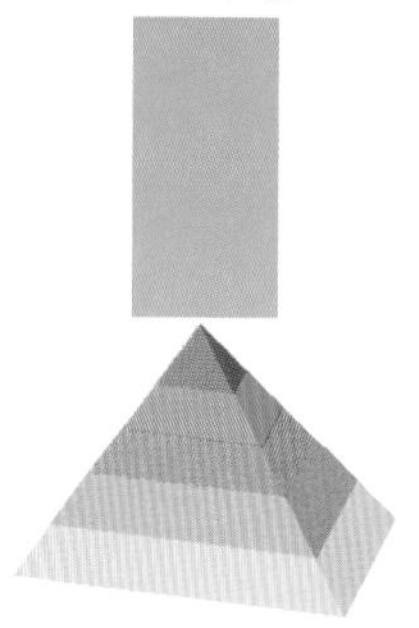

La pirámide alimentaria
vol. 14 - pág. 12

El animal más grande de todos, la ballena azul (130 toneladas), junto al animal terrestre vivo más grande, el elefante africano (7 toneladas), y junto a un microscópico protozoo.

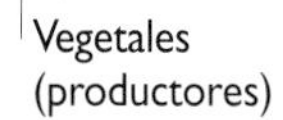

Cuanto más subamos en una pirámide alimentaria, más estrechos se vuelven los niveles en dicha pirámide, porque los depredadores suelen ser menos numerosos que los organismos de los que se nutren. Por eso los grandes animales feroces son poco frecuentes.

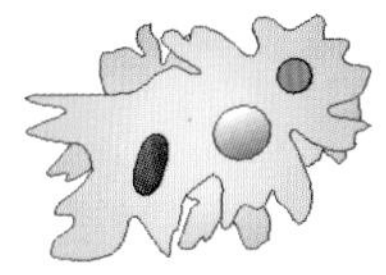

Las primeras plantas y los primeros animales
vol. 16 - pág. 20

rectamente, dependen de los vegetales, los únicos organismos capaces de producir sustancias comestibles a partir de las sales minerales, el agua y la luz del Sol. Para representar el puesto de los diferentes seres vivos en la naturaleza, los ecólogos diseñan las llamadas pirámides alimentarias. Ya se trate de un bosque pluvial, de un océano o de un lago, los vegetales se encuentran en la base de todas las pirámides. Los animales están por encima. Primero están los herbívoros, que se nutren de los vegetales; después, los carnívoros, que se nutren de los anteriores y, por último, otros carnívoros que se nutren de carnívoros más pequeños: los grandes depredadores de la naturaleza.

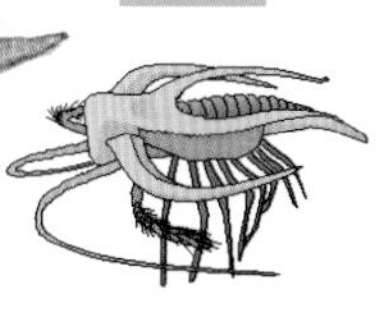

La explosión del Cámbrico
vol. 16 - pág. 24

Los invertebrados

El evolucionismo de Lamarck
vol. 22 - pág. 90

La evolución biológica
vol. 9 - pág. 54

La gran mayoría de los animales son invertebrados, es decir, carecen de vértebras. Esta categoría, nombrada así por Lamarck, no tiene un significado evolutivo particular, sino que se usa para distinguir este heterogéneo conjunto de seres vivos de nosotros y del resto de los animales con los que estamos estrechamente emparentados. Nosotros, al igual que los demás mamíferos, los pájaros, los reptiles, los anfibios y los peces, somos vertebrados porque a lo largo del eje del cuerpo poseemos una estructura de apoyo formada por numerosas vértebras, que contienen la médula espinal. Nuestras afinidades con estos animales son evidentes. Es más difícil, en cambio, aceptar que las estrellas y los erizos de mar, los equinodermos, están más cerca de nosotros que de un mejillón o un cangrejo. Y, sin embargo, nosotros, los vertebrados, tenemos importantes características en común con los equinodermos, que se observan sólo durante el desarrollo embrionario, período de la vida en el que muchas de las afinidades evolutivas

Trilobites, clase de artrópodo extinguida al final de la era Palezoica (hace 230 millones de años).

Coleóptero fósil del Eoceno (hace 4 millones de años).

Ammonites, molusco cefalópodo fósil.

Artrópodo fósil del Eoceno (hace 48 millones de años).

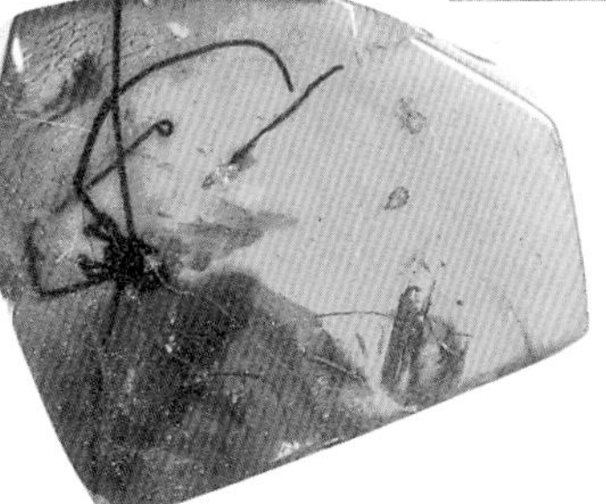

Fragmento de ámbar con un arácnido atrapado en su interior.

Crinoideo fósil del Jurásico (hace 150 millones de años).

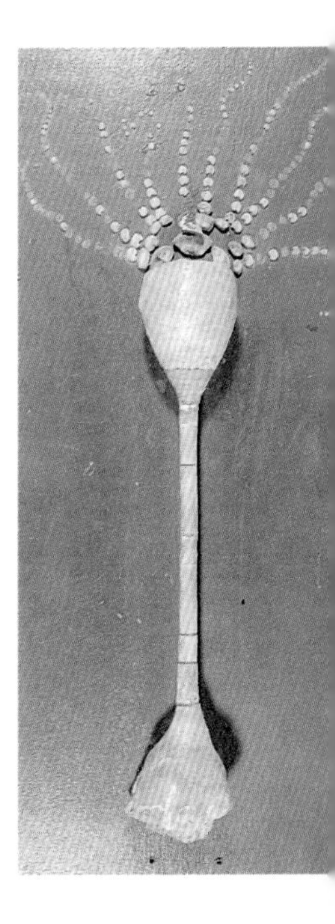

entre los organismos quedan particularmente claras. Es muy fácil reconocer estas afinidades observando un árbol genealógico del reino animal, ya que rápidamente se divide en dos grandes troncos: uno lleva a la evolución de los vertebrados, de los equinodermos y de algunos grupos menores, mientras que el otro ha dado origen al resto de los *phyla* (tipos), las grandes categorías en las que se divide el mundo de los animales, que se caracterizan por un mismo modelo de organización anatómica. De casi todos los 33 *phyla* de los que existen especies vivas, conocemos formas fósiles a partir del inicio de la era Palezoica, hace más de 500 millones de años.

Según algunos paleontólogos, en aquella época existían en nuestro planeta un centenar de otros *phyla* que se extinguieron casi de inmediato, durante el mismo Palezoico, porque no estaban tan preparados como los demás para competir por los recursos. Más que a un árbol, el esquema de la evolución de los invertebrados se asemeja a un arbusto con una base muy ancha y numerosas pequeñas ramas en la parte inferior.

11. Vertebrados

En la rama de los cordados se encuentran también los *phyla* de los tunicados (9), de los cefalocordados (10), y, por último, de los vertebrados (11)

10. Cefalocordados

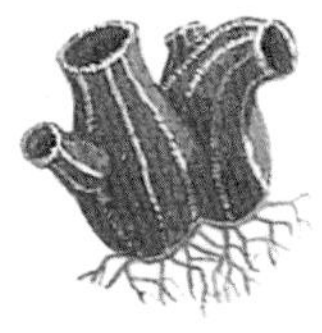

9. Tunicados

Esquema de la evolución de los animales. Además de estos 11 *phyla* principales, existen también 22 *phyla* menores, todos de invertebrados, de difícil clasificación y compuestos por un reducido número de especies.

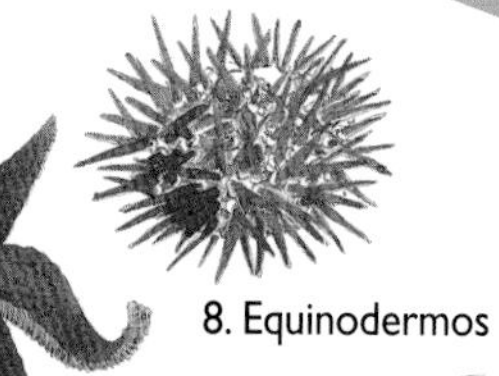

8. Equinodermos

Los equinodermos (8), estrellas de mar, erizos de mar y crinoideos, aun siendo invertebrados, tienen un embrión que se forma de manera parecida al de los cordados, con quienes, a pesar de las diferencias externas, están estrechamente emparentados.

Simetría bilateral

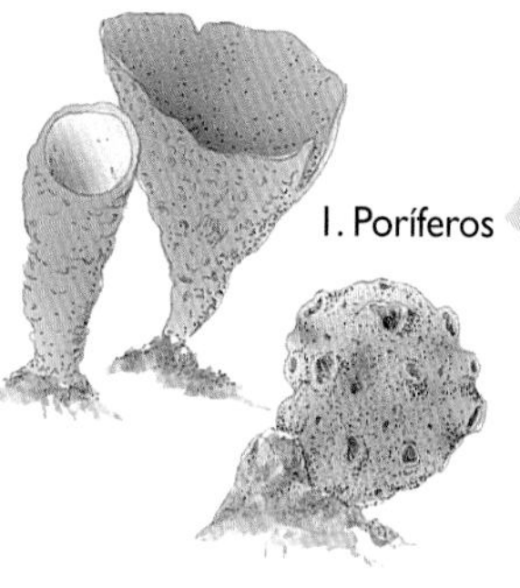

1. El primero en dividirse a partir de los primeros organismos unicelulares es el *phylum* de los poríferos (esponjas), con numerosas células pero casi todas iguales entre sí.

1. Poríferos

Protozoos

Reino de las protistas

7. Artrópodos

Los artrópodos (7) son, de entre todos los invertebrados, el *phylum* más importante debido tanto a su complejidad física (evolución de las patas y de otros apéndices) como a su complejidad social (abejas, hormigas, termitas) y al número de especies. Las clases de artrópodos más importantes son: arácnidos (arañas y escorpiones), insectos y crustáceos.

6. Anélidos

Los anélidos (6), lombrices, poliquetos y sanguijuelas, muestran por primera vez la metamería (subdivisión del cuerpo en más segmentos).

El comportamiento animal vol. 13

5. Moluscos

4. Nematodos

Otros *phyla* importantes son los de los nematodos (4), gusanos cilíndricos, y los moluscos (5). Sus clases principales son los gasterópodos (como el caracol), los bivalvos (como el mejillón) y los cefalópodos (como el pulpo).

3. Platelmintos

Los platelmintos (3), gusanos planos, son el primer *phylum* en el que aparece la simetría bilateral.

2. Cnidarios o celenterados

Los cnidarios (2), como las medusas, los escifozoos, los hidrozoos y los antozoos (anémonas de mar, gorgonias y madréporas) son un *phylum* importante, pero todavía con simetría radial.

La vida en la Tierra vol. 16

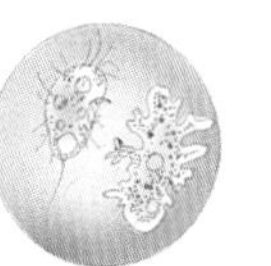

Los protozoos

Los reinos de la vida
vol. 9 - pág. 10

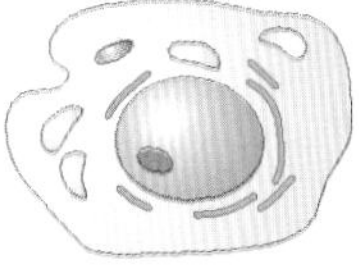

La célula
vol. 9 - pág. 12

Según las recientes clasificaciones de los seres vivos, los protozoos no son animales, sino que forman parte de un reino propio, el de los protistas, compuesto por cerca de 50 000 especies que viven en el agua. Sin embargo, todavía se les considera a menudo animales unicelulares, es decir, compuestos por una única célula. De hecho, se trata de organismos tan pequeños que se miden en milésimas de milímetro. Un protozoo puede tener uno o más flagelos que le permiten moverse, como en el género *Euglena* y en todos los llamados flagelados, o, en cambio, puede estar más o menos revestido de cilios cortos, como los ciliados. Otros protozoos, como las amebas, privados de flagelos y cilios, pueden emitir pseudópodos, es decir, extensiones temporales de su cuerpo celular que les sirven para moverse arrastrándose y para otras funciones como la nutrición.

La mayor parte de los protozoos se nutren envolviendo con los pseudópodos las partículas alimenticias (compuestas por detritos, bacterias o protozoos todavía más pequeños) y formando en torno a estas una especie de cavidad temporal en la que descargan las enzimas digestivas.

En cambio, otros protozoos poseen cloroplastos y son fotosintéticos, producen sus nutrientes. Se trata, quizá, de los protozoos más importantes en la base de la cadena alimentaria de los océanos, pues proporcionan alimento a todos los animales que los habitan. Muchos protozoos son parásitos de animales y del ser humano. Los plasmodios son los responsables de la malaria y se transmiten a través de la sangre con la picadura de los mosquitos. Los tripanosomas, que se transmiten también por vía sanguínea pero por las moscas tse-tsé, provocan la enfermedad del sueño, muy difundida en África. Algunos flagelados viven, en cambio, como inocuos inquilinos o simbiontes en el aparato digestivo o en las vías genitales de muchos animales y del ser humano.

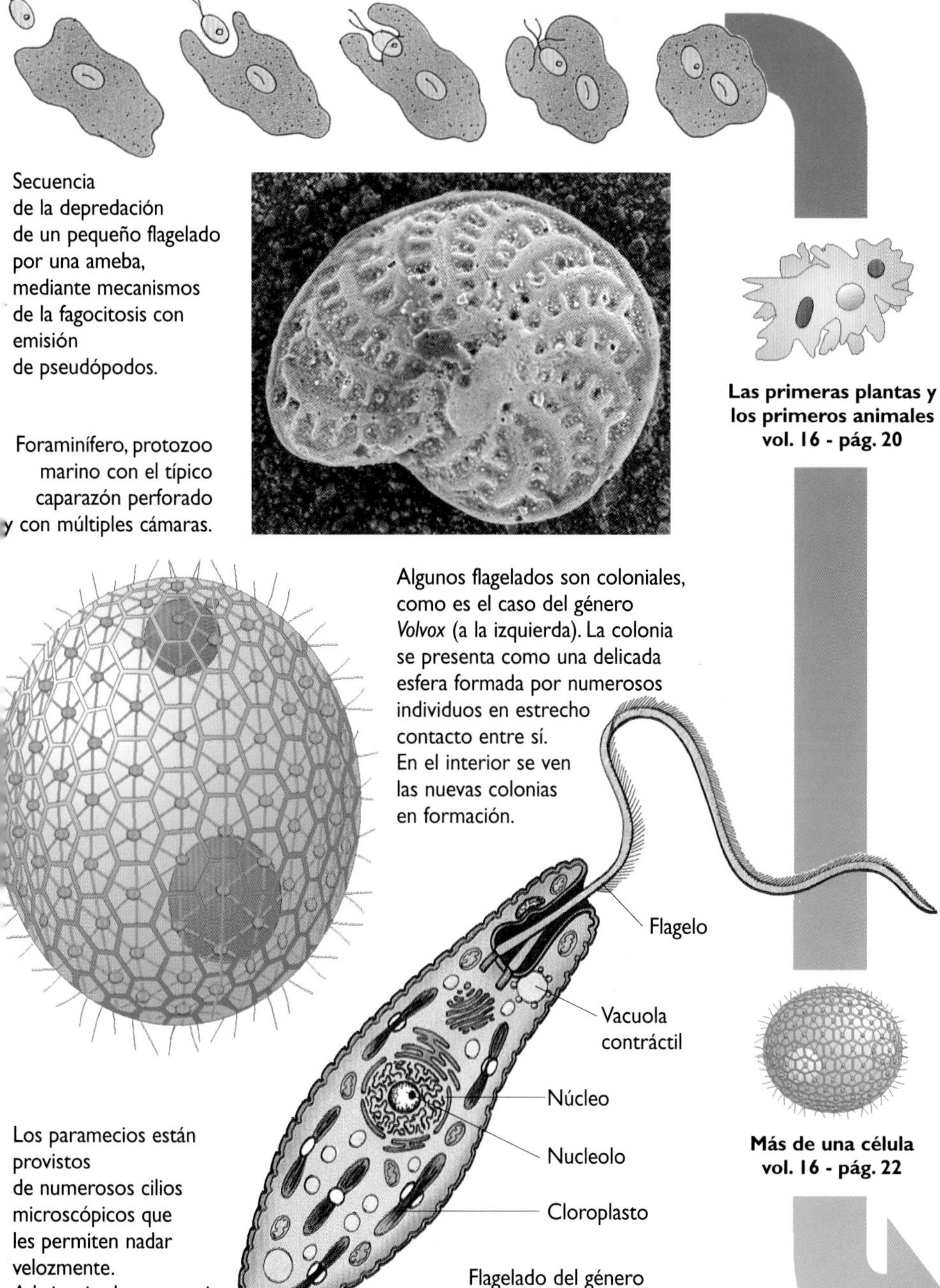

Secuencia de la depredación de un pequeño flagelado por una ameba, mediante mecanismos de la fagocitosis con emisión de pseudópodos.

Foraminífero, protozoo marino con el típico caparazón perforado y con múltiples cámaras.

Algunos flagelados son coloniales, como es el caso del género *Volvox* (a la izquierda). La colonia se presenta como una delicada esfera formada por numerosos individuos en estrecho contacto entre sí. En el interior se ven las nuevas colonias en formación.

Los paramecios están provistos de numerosos cilios microscópicos que les permiten nadar velozmente. A la izquierda, paramecio en movimiento.

Flagelado del género *Euglena*.

Las primeras plantas y los primeros animales
vol. 16 - pág. 20

Más de una célula
vol. 16 - pág. 22

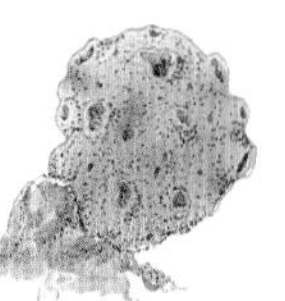

Las esponjas

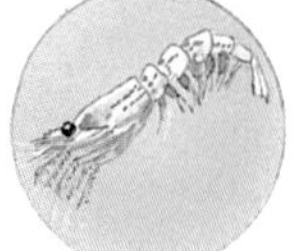

El ecosistema marino
vol. 15 - pág. 28

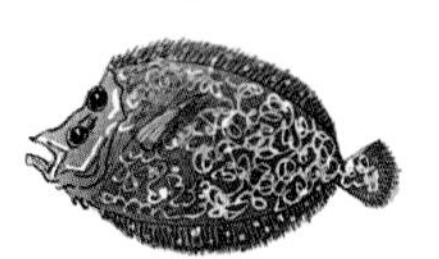

El bentos
vol. 15 - pág. 38

La palabra esponja nos hace pensar en esos objetos fabricados con material sintético que utilizamos para lavarnos. Nuestros abuelos, sin embargo, se lavaban con esponjas de verdad, es decir, con el esqueleto blando y flexible de un animal perteneciente al *phylum* de los poríferos. Este esqueleto está hecho de un material elástico llamado esponjina, cruzado por canales que comunican con el exterior a través de los poros. De donde deriva el nombre de poríferos (portadores de poros). Las esponjas se nutren filtrando las partículas alimenticias suspendidas en el agua, incluidos los protozoos. Por eso su cuerpo tiene la forma de un saco perforado y su cavidad interna termina con un poro más amplio, situado en la parte superior.

El agua entra a través de los pequeños poros laterales, transportando las partículas alimenticias que recogen unas células internas especiales, los coanocitos. Estos se nutren y después pasan directamente el alimento al resto de las células del cuerpo, como los pinacocitos, que forman el revestimiento exterior. Por último, el agua es expulsada por el poro superior, llamado ósculo, que, a veces, está rodeado por una corona de espículas defensivas que impiden el ingreso a extraños no deseados. Existen más de 5 000

Las esponjas, junto con otros numerosos organismos bentónicos, solitarios o coloniales, caracterizan el paisaje del fondo marino.

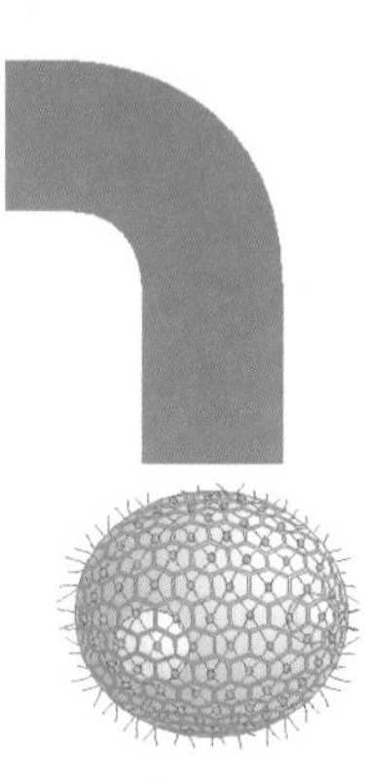

Más de una célula
vol. 16 - pág. 22

especies de esponjas, todas marinas excepto algunas que se han establecido en agua dulce, que viven agarradas a las superficies rocosas sumergidas. La esponja más grande es la copa de Neptuno, que puede alcanzar un metro de diámetro y dos de altura. Muchas especies son de vivos colores. Las esponjas provistas de esqueleto de esponjina son poríferos más evolucionados y poseen una estructura anatómica bastante compleja. En cambio, la estructura de las que tienen formas más primitivas es mucho más simple y su esqueleto no está hecho de esponjina sino de un fino entramado de agujas calcáreas, llamadas espículas, que forman una estructura que sostiene las células del cuerpo. Algunas esponjas que viven en mares profundos poseen esqueletos de espículas silíceas en vez de calcáreas y una característica forma cilíndrica.

A la izquierda actualmente todavía se practica la pesca de las esponjas, sobre todo en el Mediterráneo oriental, en el Caribe y en Australia, aunque su uso en los países industrializados ya no es tan frecuente.

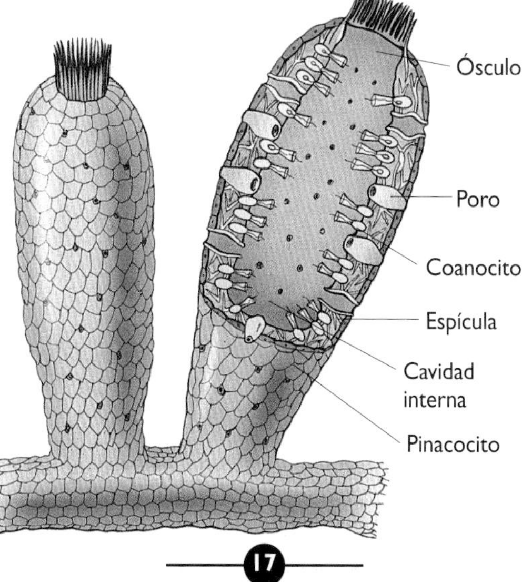

Sección de una esponja calcárea primitiva en la que se muestran los diferentes tipos de células.

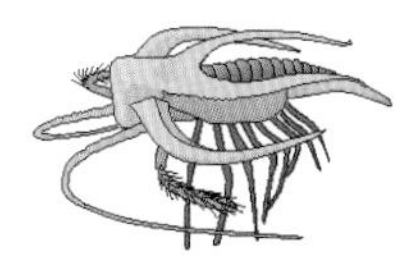

La explosión del Cámbrico
vol. 16 - pág. 24

LOS HIDROZOOS

A los cnidarios se les llama también celenterados (del griego *celenteron*, la cavidad en el cuerpo que los caracteriza). Son un *phylum* compuesto por cerca de 770 especies, casi todas marinas. El ciclo vital de estos animales puede comprender dos fases, representadas por medusas y pólipos. La medusa es un organismo delicado y transparente. El 95 % de su cuerpo es agua y generalmente se deja arrastrar por las corrientes, aunque las formas más grandes tienen una cierta autonomía de movimiento.

Tiene forma de sombrilla o seta, con los tentáculos y la boca vueltos hacia abajo. El pólipo, en cambio, es una medusa invertida que vive en el fondo marino, posado o fijado directamente en las rocas o conchas, solitario o en colonias más o menos complejas. Los tentáculos y la boca están hacia arriba. Las medusas tienen testículos y ovarios y, por tanto, se reproducen sexualmente, produciendo huevos de los que nacen larvas microscópicas que se transforman en pólipos. Estos últimos, a su vez, se reproducen casi siempre asexualmente, formando yemas que se convierten en jóvenes medusas.

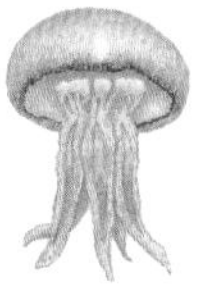

Los invertebrados
pág. 10

El ecosistema marino
vol. 15 - pág. 28

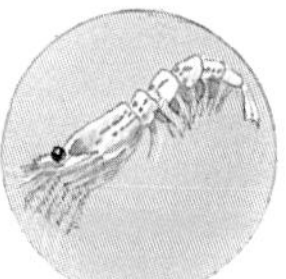

El bentos
vol. 15 - pág. 38

Ciclo biológico de un hidrozoo con alternancia de generación entre pólipos (asexuados) y medusas (sexuadas).

Típicos habitantes de las barreras coralinas, los llamados «corales de fuego»: hidrozoos coloniales con tentáculos que pueden producir urticaria a los nadadores distraídos.

Cnidoblasto, antes y después del disparo del filamento urticante. Los cnidarios poseen millares de estas células.

Este fenómeno se denomina alternancia de generación y es característico sobre todo de los hidrozoos (del griego: animales de agua), una de las tres clases principales en que se dividen los cnidarios. El nombre de cnidarios (del griego: urticantes) se refiere a las células urticantes, los cnidoblastos, que usan tanto para capturar a sus presas como para defenderse de los depredadores: por eso las medusas pueden irritar la piel si se tocan. Una de las especies más peligrosas es la carabela portuguesa, un organismo colonial flotante formado tanto por individuos medusoides como polipoides anatómicamente unidos, provista de filamentos, de muchos metros de largo, que usa para pescar.

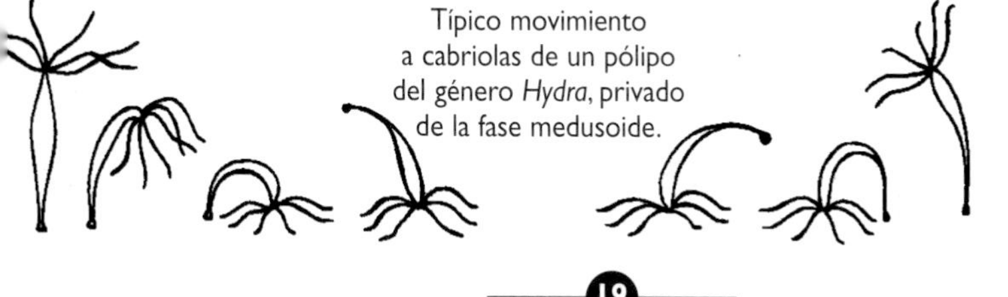

Típico movimiento a cabriolas de un pólipo del género *Hydra*, privado de la fase medusoide.

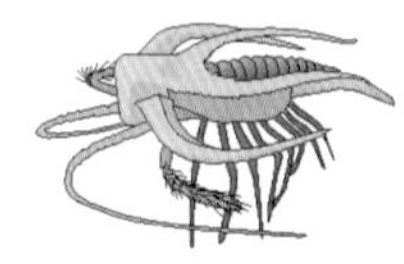

La explosión del Cámbrico vol. 16 - pág. 24

Las anémonas de mar y las gorgonias pág. 24

Las madréporas pág. 26

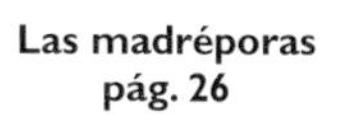

LAS MEDUSAS

Los escifozoos (es decir, los animales con forma de copa), la segunda clase del *phylum* cnidarios, son las grandes medusas que tanto tememos cuando estamos en el mar. En estos animales la alternancia de generación que hemos visto en los hidrozoos desaparece casi por completo, ya que se reduce o falta la fase polipoide.

Del huevo de una medusa de escifozoo, llamada escifomedusa, nace una pequeña larva que se convierte directamente en medusa, o bien atraviesa una fase polipoide de corta duración. Esto sucede mientras permanece en el fondo marino, pero rápidamente comienza a escindirse transversalmente dando origen a numerosas medusas jóvenes, llamadas efiras. Estas crecen y se transforman en medusas más grandes y complejas que las hidromedusas, capaces incluso de moverse autónomamente y oponerse a la dirección impuesta por la corriente. A diferencia de las pequeñas hidromedusas, que generalmente forman parte del plancton y se alimentan de las partículas suspendidas en el agua, las escifomedusas pueden alimentarse también de gambas, calamares y hasta

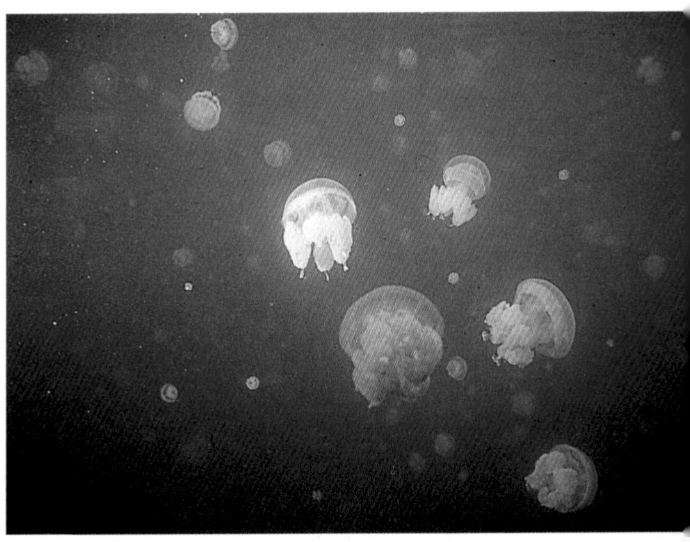

Los hidrozoos
pág. 18

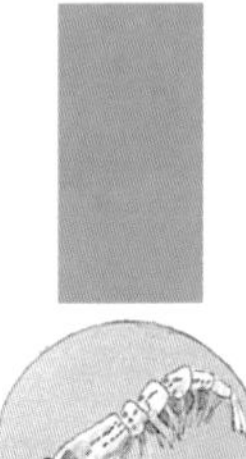

El ecosistema marino
vol. 15 - pág. 28

El plancton
vol. 15 - pág. 34

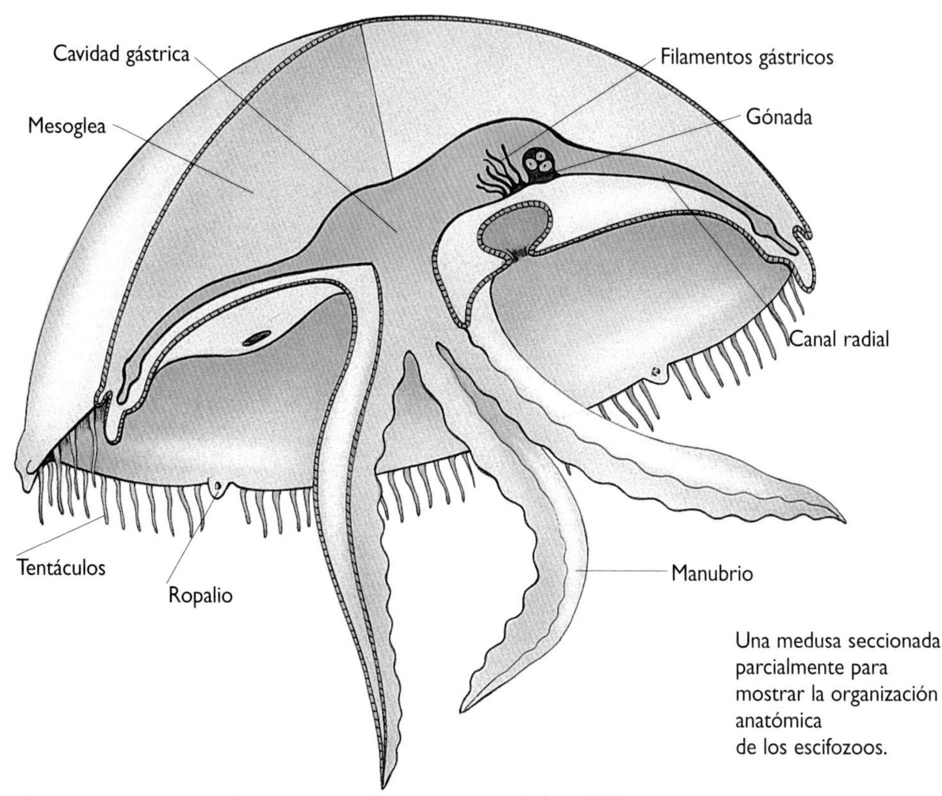

Una medusa seccionada parcialmente para mostrar la organización anatómica de los escifozoos.

Los bancos de medusas (a la izquierda) pueden estar formados por decenas de miles de individuos. Su número depende de la abundancia de ciertos microorganismos marinos.

de pequeños peces. A su vez pueden ser presas de los delfines o de las tortugas marinas. Algunas medusas son particularmente grandes, como la *Cyanea arctica*, que, para nuestra fortuna, vive sólo en los fríos mares del Norte, donde a nadie se le ocurriría darse un baño, y puede superar los 2 metros de diámetro. Sus terribles tentáculos, llenos de cnidoblastos, se extienden lateralmente formando una red que cubre decenas de metros cuadrados. De esta forma captura y mata peces para alimentarse.
Pero no es la más peligrosa. Esta primacía pertenece a una especie australiana, *Chironex fleckeri*, o avispa de mar, un pequeño cubo gelatinoso de pocos centímetros de ancho cuyos bordes arrastran sus numerosos tentáculos urticantes, que alcanzan hasta tres metros de largo. Su arma es un potente veneno cardiotóxico: una *Chironex* de siete centímetros y medio de ancho puede matar a un niño, y una de doce centímetros matar a un adulto en cuestión de minutos.

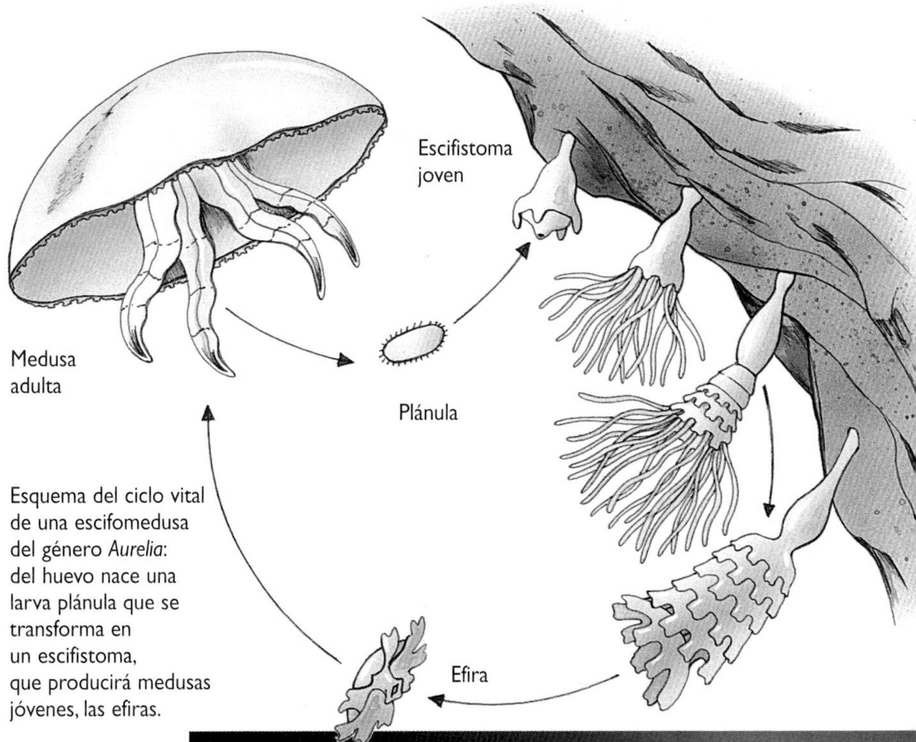

Esquema del ciclo vital de una escifomedusa del género *Aurelia*: del huevo nace una larva plánula que se transforma en un escifistoma, que producirá medusas jóvenes, las efiras.

El tamaño de las escifomedusas es mayor que el de las hidromedusas, hasta tal punto que, generalmente, consiguen alimentarse incluso de pequeños peces. Además de los tentáculos situados en el borde de la sombrilla, presentan con frecuencia brazos orales para capturar a las presas.

Un ejemplar de *Pegalia Noctiluca*, escifomedusa luminiscente y muy urticante extendida por el Mediterráneo. Esta medusa, que carece completamente de la fase polipoide, tiene un diámetro de aproximadamente 6 centímetros.

La explosión del Cámbrico
vol. 16 - pág. 24

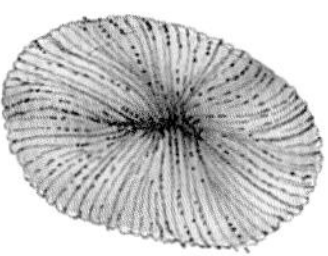

Las madréporas
pág. 26

LAS ANÉMONAS DE MAR Y LAS GORGONIAS

Si los hidrozoos se caracterizaban por la alternancia de generación y los escifozoos por el excepcional desarrollo de la fase medusoide, los antozoos son exclusivamente pólipos. De hecho, los antozoos (tercera clase del *phylum* de los cnidarios), nombre que significa animales con forma de flor, carecen completamente de la fase medusoide. Incluyen a todos los cnidarios marinos, solitarios o coloniales, que se reproducen ya sea sexual o asexualmente. Las anémonas de mar son grandes pólipos solitarios que se adhieren al fondo marino, y se encuentran tanto en las zonas de marea como en las de aguas profundas (hasta 10 000 metros). Las especies costeras pueden permanecer al aire libre algunas horas durante la marea baja, retrayendo los tentáculos y adoptando una forma semiesférica. Por eso a las anémonas rojas se las llama tomates de mar. Algunas especies son capaces de moverse lentamente (pocos centímetros por hora), otras incluso de nadar con rápidos movimientos de los tentáculos.

Las anémonas de mar se alimentan generalmente de pequeños crustáceos, moluscos y peces. Con los cnidoblastos paralizan a sus pequeñas presas y, entonces, se las llevan a la boca. Sólo algunas

Los hidrozoos
pág. 18

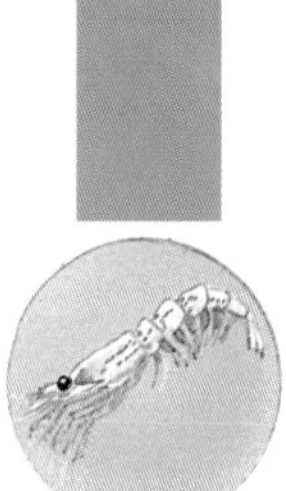

El ecosistema marino
vol. 15 - pág. 28

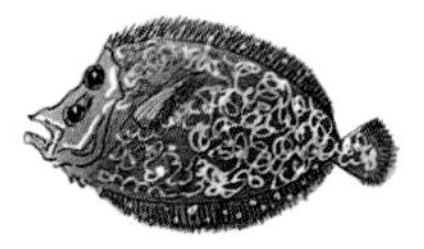

El bentos
vol. 15 - pág. 38

especies se nutren de partículas alimenticias suspendidas en el agua. Es notoria la simbiosis entre los cangrejos ermitaños (pequeños crustáceos que viven arrastrando una concha de molusco) y algunas anémonas que se instalan sobre su concha haciéndose transportar y defendiéndolos contra los enemigos. Las gorgonias, en cambio, forman colonias ramificadas, normalmente aplanadas, sostenidas por esqueletos arborescentes de naturaleza córnea o calcárea. Similares a las gorgonias son los corales rojos, muy usados en joyería. Fueron comunes en el Mediterráneo pero, debido a la gran recolección de la que han sido objeto, se han vuelto muy escasos.

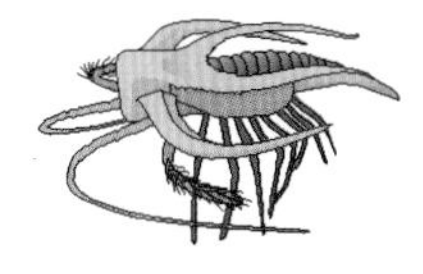

La explosión del Cámbrico vol. 16 - pág. 24

Los peces payaso limpian los residuos alimenticios del cuerpo de la anémona y pueden nadar sin peligro entre sus tentáculos, donde encuentran refugio de sus depredadores (arriba).

A la izquierda, bosque de gorgonias, antozoos coloniales que habitualmente caracterizan el paisaje submarino de las profundidades rocosas.

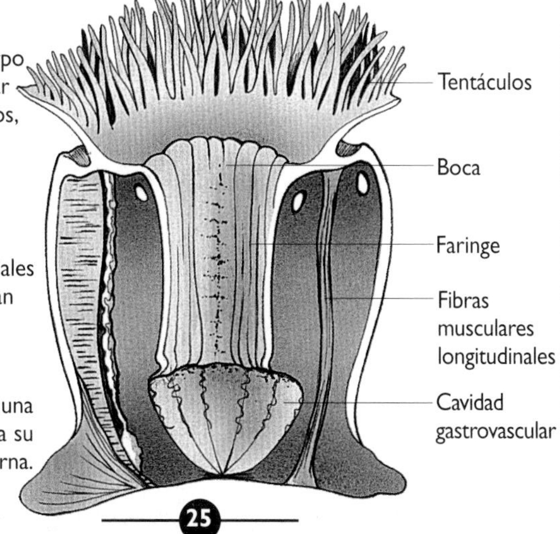

Sección longitudinal de una anémona en la que se muestra su organización anatómica interna.

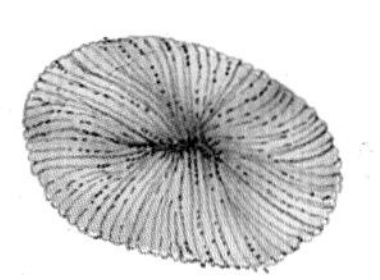

LAS MADRÉPORAS

Los ecosistemas marinos en los que vive el mayor número de especies animales son los arrecifes coralinos. En este hábitat, presente sobre todo en la franja tropical, vive un sorprendente número de especies animales con una compleja red de relaciones todavía en gran parte desconocidas.

Los arrecifes coralinos son el trabajo de generaciones de colonias de madreporarios, un orden de antozoos propios de los mares cálidos y poco profundos. Se trata de pequeños pólipos que viven casi siempre en colonias numerosas, protegidos por un esqueleto calcáreo, y que se alimentan de partículas alimenticias o microorganismos transportados por las corrientes.

El proceso de formación de un arrecife coralino puede durar milenios, acumulando decenas de metros de espesor. Todo comienza cuando una primera generación de madréporas se asienta en la costa rocosa de una isla volcánica, donde las aguas son limpias, cálidas y de poca profundidad, dando lugar a una colonia coralina. A continuación, la lenta inmersión del volcán o la subida del nivel marino provoca el ensanchamiento del brazo de mar entre la colonia y la costa, originando así la

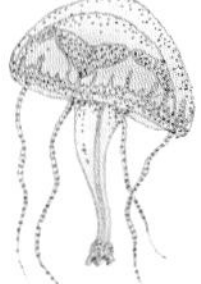

Los hidrozoos
pág. 18

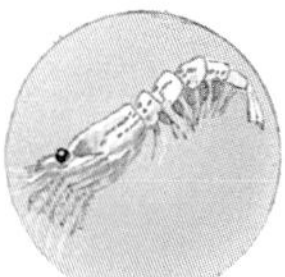

El ecosistema marino
vol. 15 - pág. 28

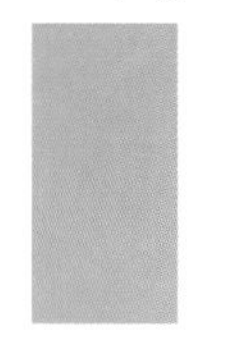

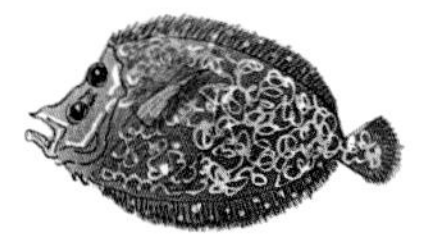

El bentos
vol. 15 - pág. 38

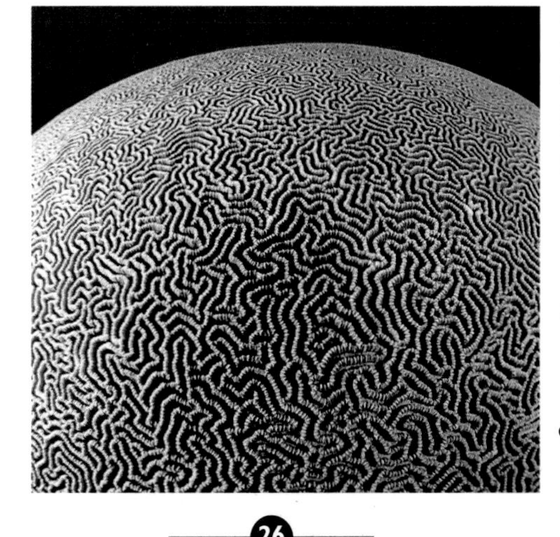

Una madrépora peculiar, la llamada «cerebro de Neptuno» por la semejanza de su esqueleto con los hemisferios cerebrales.

A la derecha, madrepóricas en un arrecife coralino. Al igual que las anémonas y las gorgonias, las madréporas pertenecen a la clase de los antozoos, dentro del mismo *phylum* que las medusas.

La estructura interna de los pólipos de las madréporas es muy simple debido al minúsculo tamaño de cada uno de los individuos de la colonia.

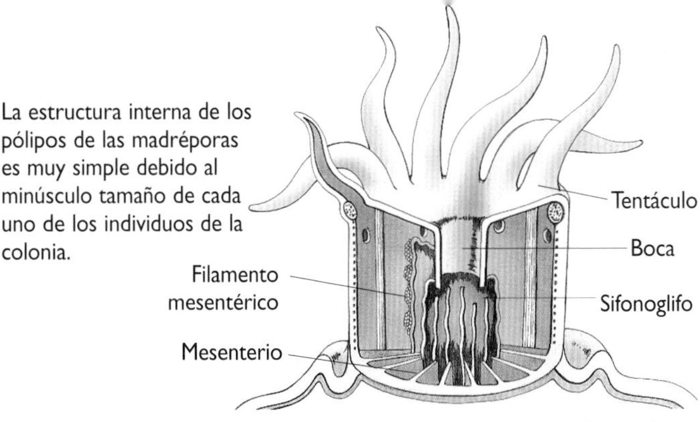

barrera coralina. Si el volcán acaba completamente bajo el nivel del mar, se forma un atolón, es decir, una barrera coralina circular que encierra una laguna. Las madréporas son antozoos generalmente coloniales, aunque existen casos de especies solitarias como el del género *Fungia*, un pólipo de grandes dimensiones. La mayor parte de las madréporas pueden vivir sólo en aguas poco profundas y bien iluminadas, ya que necesitan de la simbiosis de algunos microscópicos protozoos fotosintéticos, llamados zooxantelas. Estos utilizan los residuos metabólicos de las madréporas (anhídrido carbónico, fósforo y nitrógeno) y viven resguardados en sus tejidos; a cambio, producen oxígeno para la respiración de las madréporas y favorecen la sedimentación del carbonato de calcio para la fabricación de sus esqueletos. Aunque las madréporas, muy poco agradecidas, también utilizan a los zooxantelas como comida.

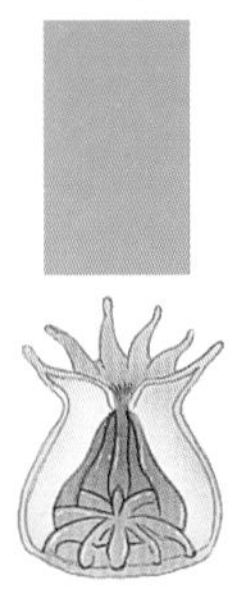

La explosión del Cámbrico
vol. 16 - pág. 24

Las barreras coralinas
vol. 15 - pág. 64

La simbiosis
vol. 14 - pág. 26

Los platelmintos

Los platelmintos, es decir, los gusanos planos, componen un tipo o *phylum* propio. La primera cosa de la que nos damos cuenta observando a estos animales es de la forma aplanada de su cuerpo. Los platelmintos más sencillos son las planarias (clase turbelarios), que se deslizan por los fondos marinos, por los estanques y por los cursos de agua, además de por los terrenos húmedos de los bosques tropicales. Lo segundo que observamos en las planarias es la presencia de una cabeza, de la que carecían las esponjas y los cnidarios. Se trata de una cabeza primitiva que funciona como centralita locomotriz, con órganos sensoriales bastante rudimentarios, pero suficientes para entender hacia qué dirección moverse para buscar la comida. ¿Y la boca? Sería inútil buscar en la cabeza de una planaria algo parecido a una boca. La abertura bucal se ha quedado en el centro del cuerpo, bajo el vientre, como en las medusas, pero está dotada de una musculosa faringe capaz de engullir presas de gran tamaño en comparación con las dimensiones del animal. La planaria no cuenta en su interior con un aparato circulatorio, presente únicamente en animales más evolucionados. Por eso, para resolver el problema de la distribución de las partículas alimenticias a todas las células del cuerpo, están dotadas de un tubo digestivo densamente ramificado, que desemboca en túbulos periféricos muy sutiles que conducen los alimentos a todas

Planarias deslizándose en el fondo de un estanque

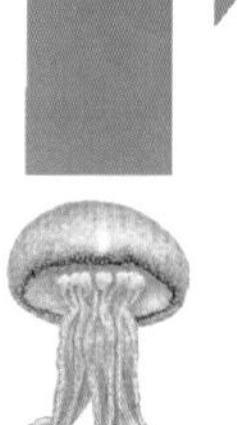

Los invertebrados
pág. 10

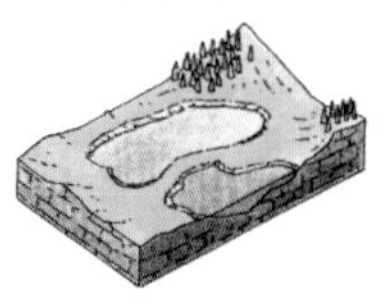

Los lagos
vol. 14 - pág. 78

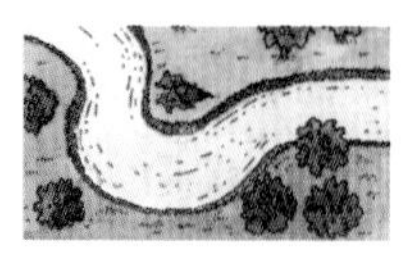

Los ríos
vol. 14 - pág. 80

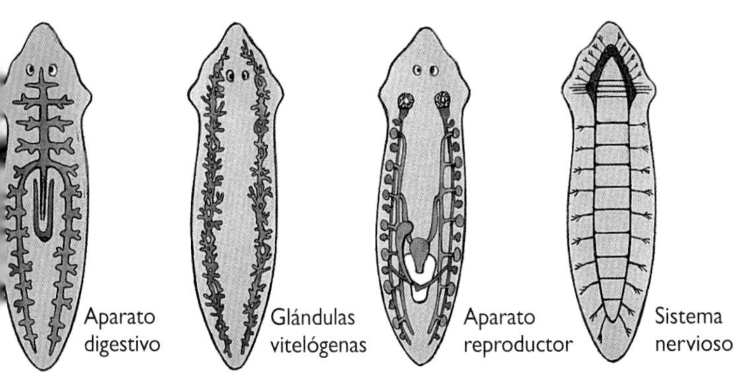

Organización anatómica de una planaria de agua dulce. Aunque parezcan muy simples, estos animales no tienen simetría radial como las medusas o los pólipos, sino bilateral como los vertebrados.

las células. Las otras dos clases de platelmintos (trematodos y cestodos) están compuestas por animales parásitos como las tenias y las duelas, que han tenido que adaptarse a la vida en el cuerpo del huésped, desarrollando una serie de sorprendentes transformaciones y un complejo ciclo biológico que afecta a numerosos tipos de huéspedes, ya sean vertebrados o invertebrados.

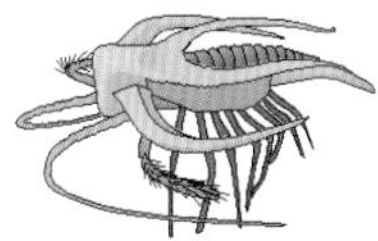

La explosión del Cámbrico
vol. 16 - pág. 24

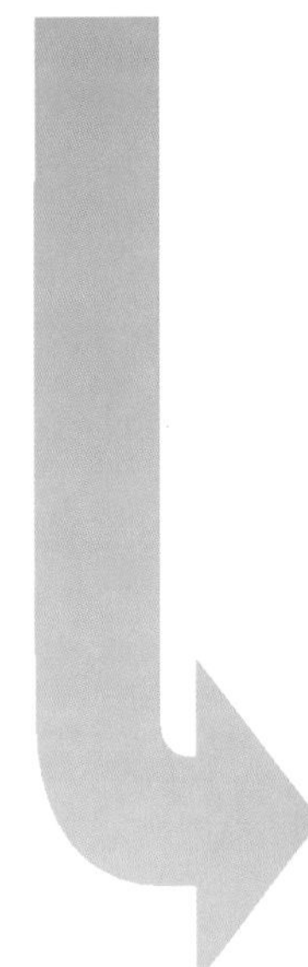

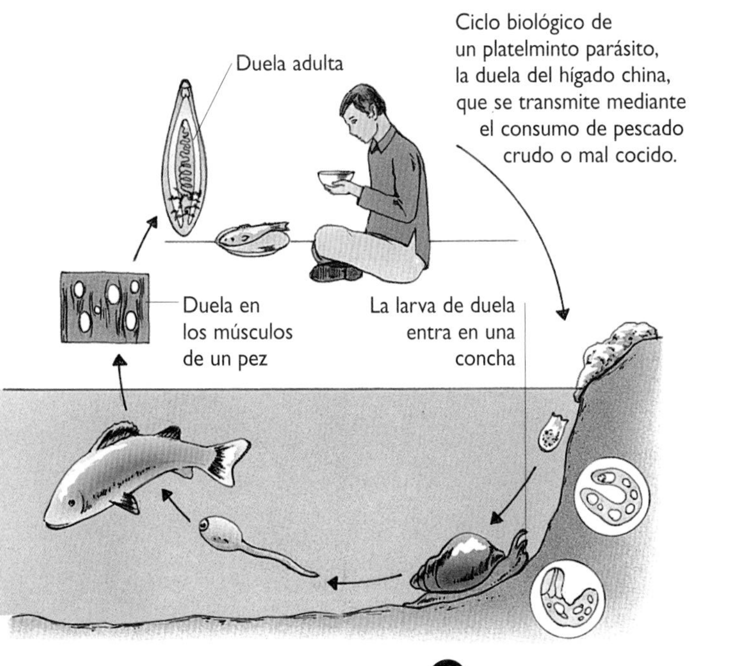

Ciclo biológico de un platelminto parásito, la duela del hígado china, que se transmite mediante el consumo de pescado crudo o mal cocido.

Los nematodos

Los invertebrados
pág. 10

Si a los platelmintos se les llama gusanos planos, a los nematodos se les llama gusanos cilíndricos debido a la forma de su cuerpo, alargado, tubular y aguzado en las extremidades. Al *phylum* de los nematodos pertenecen cerca de 15 000 especies, que desarrollan diferentes papeles ecológicos: muchos viven en el suelo como predadores o parásitos de plantas, otros en el fondo de los estanques y lagos, y otros viven también como parásitos de animales. Sus dimensiones también varían: los más pequeños miden menos de 1 milímetro de largo, mientras que el más grande es un parásito que vive en la placenta del cachalote y mide nueve metros de largo.
Todos los nematodos poseen una cavidad interna llena de líquido que alberga los órganos y cumple la función de esqueleto hidroestático. Gracias a esta cavidad y a un revestimiento cuticular elástico han podido conquistar el hábitat terrestre. Su nutrición consiste siempre en la obtención de alimento líquido (sangre, linfa animal y vegetal, etc.) gracias a la presencia de una potente faringe succionadora.
Entre los parásitos más comunes del ser humano se encuentran los ascáridos y los oxiuros, inquilinos normalmente inocuos de nuestro aparato digestivo. Más peligrosos son los parásitos del resto de los órganos internos y de la sangre, que pueden ocasionar trastornos de cierta gravedad, como en el caso de las minúsculas filarias transmitidas por algunos insectos en los países tropicales. Una de ellas es la responsable de una enfermedad llamada oncocercosis, que puede provocar la ceguera. También son graves los casos de elefantiasis, resultado de la penetración en los vasos linfáticos de ciertos nematodos frente a los que los tejidos reaccionan causando enormes inflamaciones en los miembros inferiores.

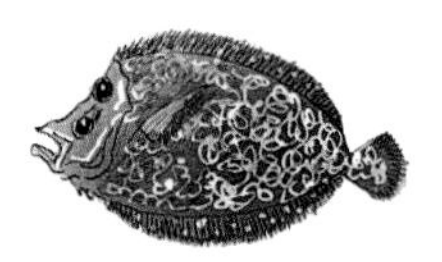

El bentos
vol. 15 - pág. 38

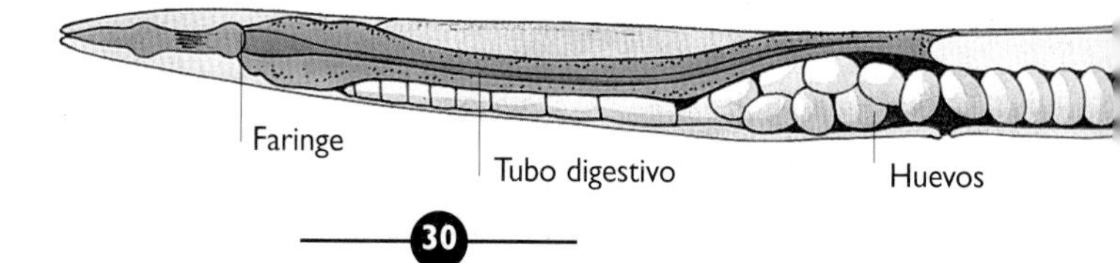

Sección de terreno con su fauna en la que se distinguen algunos nematodos asociados a las raíces de las plantas.

El suelo
vol. 7 - pág. 54

Elefantiasis de los miembros inferiores provocada por el nematodo *Wuchereria bancrofti.*

También son muy peligrosos los anquilostomas, que penetran a través de la piel de los pies de los campesinos que trabajan la tierra descalzos. Es famoso el gusano de Medina o gusano de Guinea, de color rosado y de aproximadamente un metro de largo, que los curanderos tradicionales del Medio Oriente y el norte de África extraían del paciente haciéndolo enroscarse lentamente alrededor de un bastón. Dicha usanza se convirtió en el símbolo de la profesión médica, incluso entre los griegos y romanos antiguos, que solían representar a Esculapio, el dios de la medicina, con un bastón con una serpiente enroscada a su alrededor.

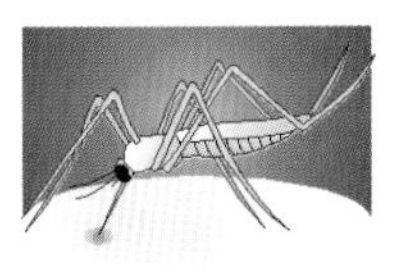

El parasitismo
vol. 14 - pág. 28

Sección longitudinal de un nematodo en la que se muestra su anatomía interna.

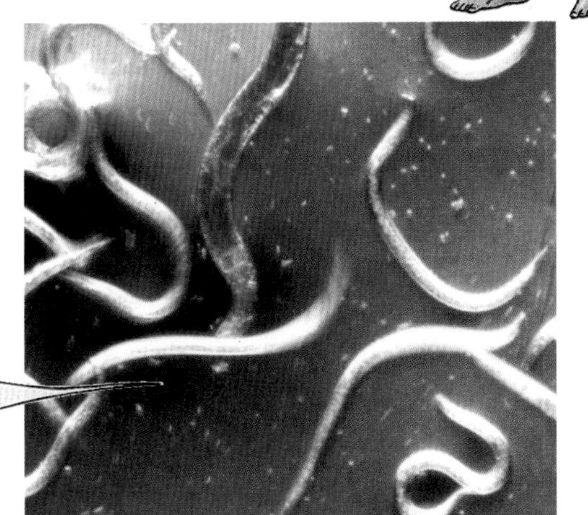

Los moluscos gasterópodos

Todos estamos familiarizados con los moluscos, el *phylum* de los invertebrados al que pertenecen las hermosas conchas usadas como adornos o como piezas de colección, o los que nos comemos en las mariscadas, además de los humildes caracoles de nuestros huertos, devoradores de lechuga.

La mayor parte de las conchas de colección forman parte de la clase de los gasterópodos, que constituye el 80 % de los moluscos vivos. Su cuerpo, como el de casi todos los moluscos, está compuesto por un pie deslizante, una cabeza apenas marcada, una bolsa que alberga las vísceras, un manto que recubre la bolsa y una concha calcárea protectora. Sin embargo, los gasterópodos han sufrido la llamada torsión de las vísceras, una compleja modificación anatómica que acompaña a la forma espiral de la concha. Los gasterópodos se alimentan por medio de la rádula, una serie de

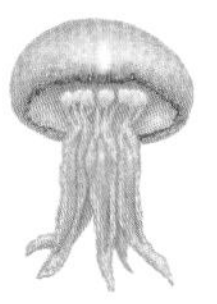

Los invertebrados
pág. 10

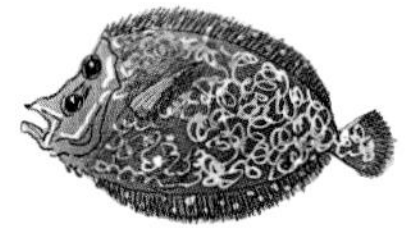

El bentos
vol. 15 - pág. 38

Sección de caracol en la que se muestra la compleja organización anatómica de los gasterópodos.

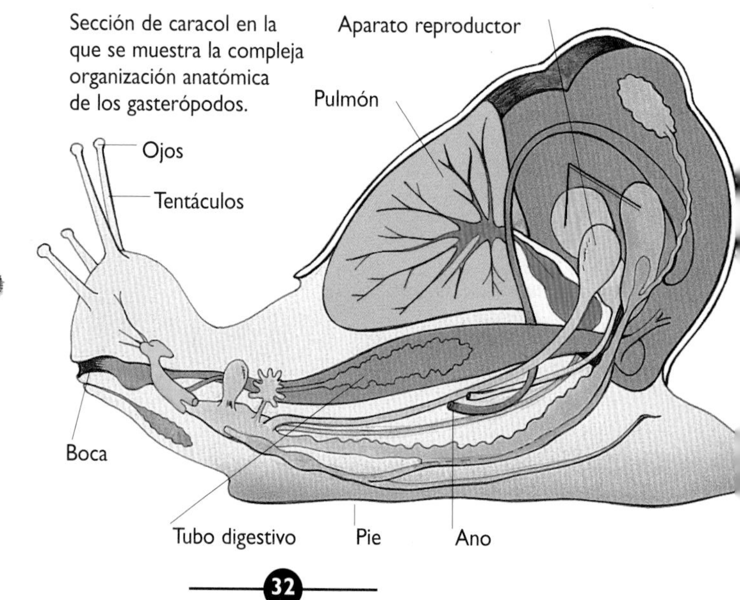

Tipos de conchas
de diversas familias
de gasterópodos

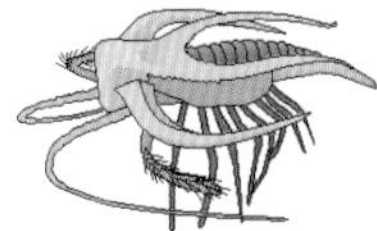

La explosión del Cámbrico
vol. 16 - pág. 24

microscópicos dientes córneos junto a la boca, que usan para raspar las algas del fondo marino.
Muchas de las especies más evolucionadas se han pasado, sin embargo, a la alimentación carnívora, reduciéndose el número de dientes de la rádula. En la especie del género *Conus*, por ejemplo, la rádula se ha convertido en una máquina para apuñalar y matar a los peces, con ayuda de un veneno peligroso incluso para el ser humano. Otros gasterópodos cazan en cambio a los moluscos bivalvos perforándoles la concha con la rádula y sustancias especiales. Por último, en algunos gasterópodos, como las liebres de mar o los caracoles sin caparazón, la concha ha disminuido o incluso desaparecido.

Un gasterópodo acuático mientras se desliza por el fondo marino. Las clases de moluscos más importantes, además de los gasterópodos, son los bivalvos y los cefalópodos.

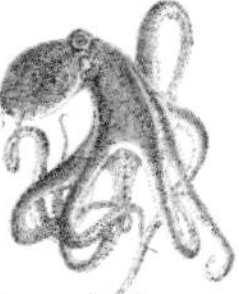

Los moluscos cefalópodos
pág. 36

Los moluscos bivalvos

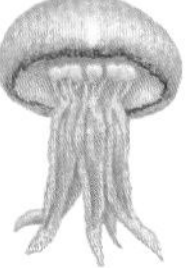

Los invertebrados
pág. 10

La clase de los bivalvos comprende numerosas especies de moluscos, conocidos por su valor gastronómico: mejillones, almejas, telinas, navajas, dátiles de mar y ostras. El nombre de esta clase se debe a que la concha está dividida en dos valvas unidas en la zona dorsal con una charnela y se abren ventralmente dejando salir el pie y dos sifones (cuando los tienen), uno inhalante y otro exhalante, que sirven para que entre y salga el agua. De hecho, se trata de animales filtradores que se nutren de residuos y microorganismos presentes en el agua o en la arena. Muchas especies, como las telinas, las almejas y las navajas, viven inmersas en el fango en el que penetran con un pie excavador con forma de azada. Otras especies, como las vieiras, viven posadas en el fondo y pueden nadar moviendo las valvas para huir de sus mayores enemigos: las estrellas de mar. Los mejillones, en cambio, viven anclados en los fondos rocosos gracias a los filamentos del biso, una especie de fibra producida por una glándula especial. Como todos los bivalvos que no viven dentro de los sedimentos del fondo marino, carecen de sifones y su pie se ha reducido, pues no tienen que moverse.
La filtración del agua, al no tener sifones, se produce a través de las branquias, muy desarrolladas, de forma laminar.
Existen, además, algunas especies, como los dátiles de mar, que para refugiarse de los depredadores perforan las rocas o, como en el caso de los teredos, la madera de los troncos de las embarcaciones a la deriva.

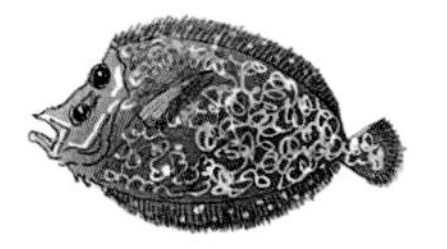

El bentos
vol. 15 - pág. 38

Músculo
Branquias
Pie

Movimientos de una almeja en el fondo arenoso marino.

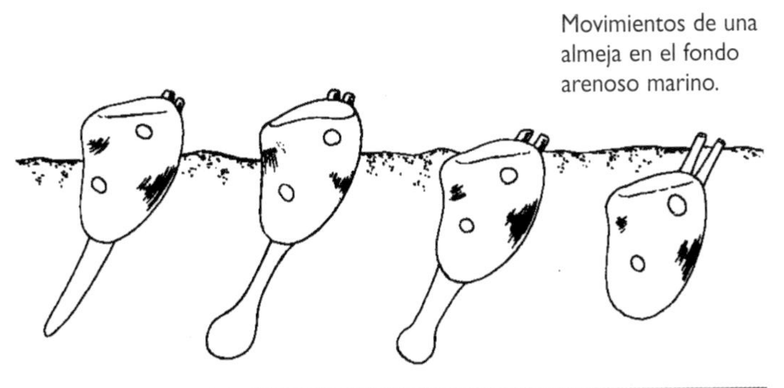

Detalle de la concha de una tridacna, un bivalvo gigante que vive posado en el fondo marino.

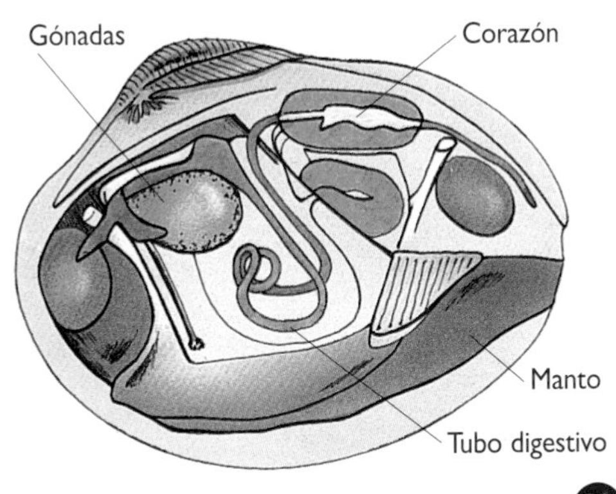

En la página anterior, anatomía de un molusco bivalvo. A la izquierda, se han retirado las branquias laminares para mostrar los órganos internos.

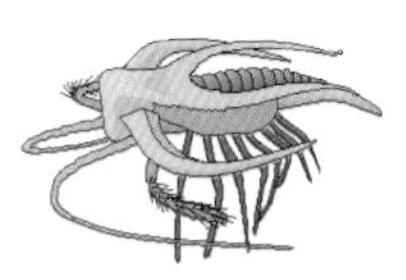

La explosión del Cámbrico vol. 16 - pág. 24

Los moluscos cefalópodos

Los invertebrados
pág. 10

El necton
vol. 15 - pág. 36

Calamares, jibias, sepias y pulpos son nombres que todos hemos oído pronunciar, en un restaurante o en la cocina. Sin embargo, pocas personas saben cuáles son las estrategias adaptativas de estos interesantes animales. Los cefalópodos descienden de simples caracoles marinos, pero se han convertido en expertos depredadores después de haber sufrido una serie de complicadas transformaciones. Un pulpo es todo músculo, posee ocho tentáculos armados con ventosas y su boca está provista de un robusto pico córneo. La concha ha desaparecido. Para procurarse el alimento, se esconde tras las rocas de las profundidades y tiende emboscadas a los gasterópodos, bivalvos, crustáceos y peces del fondo marino, que avista gracias a sus desarrollados ojos, tan complejos como los de los vertebrados capaces de distinguir colores.
Los pulpos son de gran interés para los etólogos debido a su capacidad de aprendizaje, extraordinaria para un invertebrado. Los calamares, en cambio, nadan en bancos numerosos en mar

A la derecha, parte de calamar gigante, que da una idea de las dimensiones del animal entero. Los calamares gigantes viven en los abismos oceánicos y poseen órganos luminiscentes usados como señales de identificación.

El *Nautilus* es el único cefalópodo vivo con concha externa. Vive entre los 50 y los 650 metros de profundidad.

Concha tabicada

Aparato digestivo

Boca

Tentáculos

abierto, donde cazan peces y gambas. Estos animales han conservado una concha que ya no es externa como en los moluscos, sus progenitores, sino que se ha convertido en un órgano interno de sostén, duro pero flexible, para conferir al cuerpo una cierta resistencia a la presión mientras nadan. Las sepias ejercen una función intermedia, porque nadan en aguas menos profundas y exploran los fondos costeros. También tienen una concha interna, pero no tan ligera y elástica. Tanto los calamares como las sepias poseen un par de tentáculos más que los pulpos: se trata de tentáculos especializados en la rápida captura de peces y cámbaros, que pueden retraer casi por completo dentro de cavidades especiales. Algunas especies de calamares alcanzan dimensiones gigantescas (más de 20 metros) y viven a gran profundidad. De ellas sabemos muy poco, y de algunas especies se conocen sólo los picos, encontrados dentro del estómago de los cachalotes, que son sus predadores habituales.

La concha del *Nautilus* está dividida en numerosas cámaras pero el animal sólo ocupa la más externa: el resto contiene nitrógeno que le sirve para regular los desplazamientos verticales.

También los pulpos pueden nadar, aunque distancias cortas, y lo hacen con el mismo mecanismo a reacción que los calamares, es decir, expulsando con fuerza el agua por el sifón.

Para capturar la presa, sepias y calamares usan el quinto par de tentáculos que guardan en cavidades especiales. Para conseguir un desplazamiento más rápido, las ventosas se encuentran sólo en la parte interior de los tentáculos. Para regular la dirección de la natación, los calamares poseen membranas laterales en el manto parecidas a las aletas.

Existen cerca de 200 especies de pulpos, como este de la foto inferior: algunos alcanzan los 90 kilogramos de peso, otros son venenosos y pueden matar a un ser humano con su mordisco.

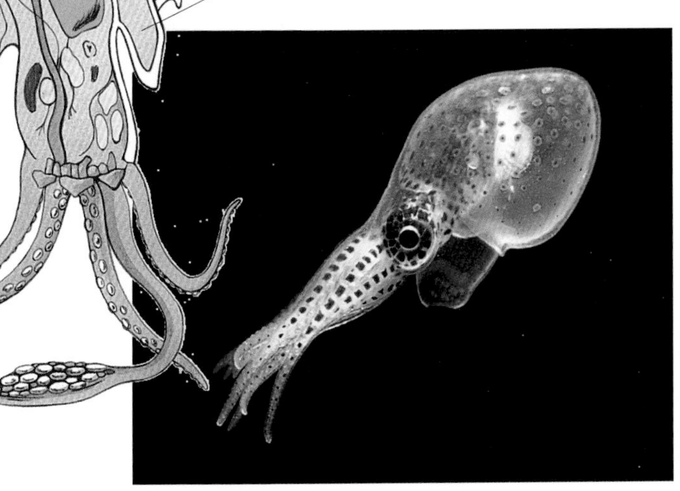

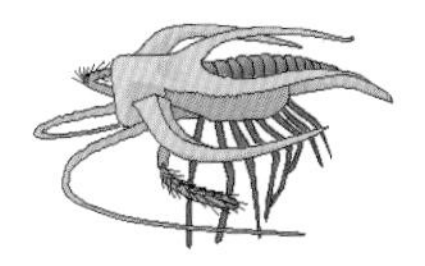

La explosión del Cámbrico vol. 16 - pág. 24

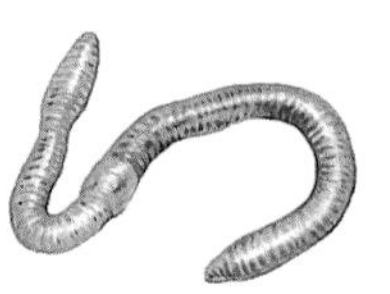

Las lombrices

Pocas personas se paran a mirar las lombrices con atención. Puede que la repelencia que suscitan estos animales se deba a la capa de mucosidad que hace que su cuerpo sea viscoso. Y, sin embargo, gracias a esta mucosidad las lombrices han podido adaptarse a la vida en los suelos. De hecho, se nutren de sustancia orgánica en descomposición, y por eso se ven obligadas a excavar y penetrar bajo tierra para alimentarse. Pero el suyo es un trabajo muy preciado: este continuo excavar acelera la descomposición de la materia orgánica y la restitución de sales minerales al suelo y, por tanto, a las plantas.

Por la noche, sobre todo si el tiempo es húmedo, las lombrices asoman la parte anterior de su cuerpo y agarran trozos de hojas podridas que transportan bajo tierra. Si además el clima resulta especialmente favorable, pueden moverse por la superficie durante las horas nocturnas para cambiar el territorio de alimentación y difundir así su especie y los beneficios que comportan. La adaptación de las lombrices

Los invertebrados
pág. 10

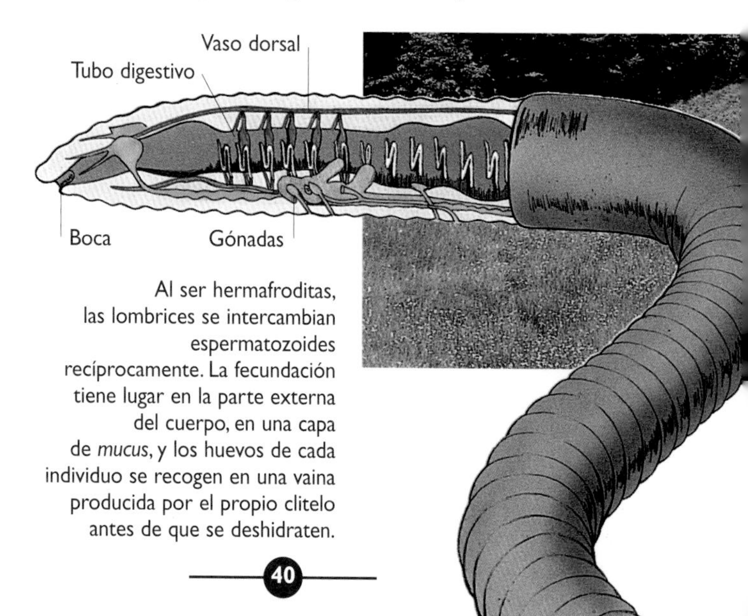

Al ser hermafroditas, las lombrices se intercambian espermatozoides recíprocamente. La fecundación tiene lugar en la parte externa del cuerpo, en una capa de *mucus*, y los huevos de cada individuo se recogen en una vaina producida por el propio clitelo antes de que se deshidraten.

al hábitat terrestre se ha quedado en un estadio evolutivo en que la luz solar y la aridez pueden incluso matar al animal deshidratándolo. Por eso las lombrices permanecen en los suelos húmedos y evitan la luz. Además, se han visto obligadas a inventar un complicado mecanismo reproductor, mediante un órgano especial llamado clitelo. Se trata de un engrosamiento glandular de la epidermis que produce una vaina, una especie de bolsa para los huevos. Cuando dos lombrices se aproximan para copular, se extienden una contra la otra de manera que los clitelos estén en contacto.
Externamente, el cuerpo de las lombrices se presenta en forma de anillos. Se trata de la característica segmentación del cuerpo en numerosas partes equivalentes (llamada metamería). Esta aparece en el *phylum* de los anélidos, al que las lombrices pertenecen, y se conserva después en casi todos los *phyla* sucesivos, incluidos los vertebrados: las vértebras son subdivisiones del cuerpo como los metámeros de la lombriz, aunque la semejanza no sea demasiado evidente.

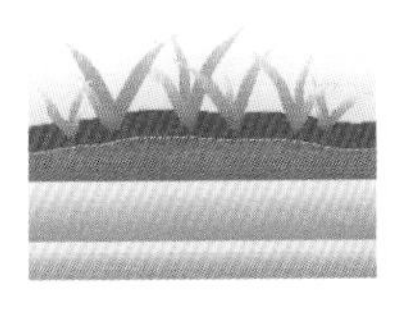

El suelo
vol. 7 - pág. 54

En una hectárea de prado, las lombrices pueden remover 60 toneladas de tierra en un año. Cada 10 años, la sustancia orgánica del terreno habrá pasado por su cuerpo al menos una vez.

Los poliquetos

El nombre de poliquetos significa «muchas quetas». De hecho, la primera cosa que llama la atención en estos gusanos marinos es la presencia de apéndices laterales, un par por cada segmento de cuerpo, a menudo provistos de mechones de quetas. Al ver cómo se arrastran sobre una roca sumergida, lo primero que podemos pensar es que se trata de un animal peligroso, principalmente por su semejanza con ciertas orugas peludas urticantes de hábitat terrestre. Efectivamente, algunas especies pueden provocar una fuerte irritación de la piel si se las toca.

Sin embargo, no todos los poliquetos están hechos así, no todos tienen el cuerpo dividido en segmentos iguales entre sí, y no todos llevan una vida errante en los fondos marinos a la caza de presas. Muchas especies viven enterradas en los fondos arenosos dentro de galerías excavadas por ellas mismas, o se encuentran sobre las rocas, dentro de pequeños tubos calcáreos. Las primeras se nutren de los residuos marinos, de manera parecida a como lo hacen las lombrices terrestres. Este estilo de vida hace que ciertas especies, como la arenícola, se asemejen mucho a las lombrices hasta en el aspecto exterior. Las segundas viven, en cambio, filtrando las partículas alimenticias suspendidas en el agua con ayuda de tentáculos especiales, ramificados en forma de estrella.

Algunas especies de poliquetos sirven de alimento a los pescadores del Pacífico. El caso más conocido es el del palolo, un poliqueto que durante el período de la reproducción se concentra en enormes cantidades en la superficie del agua.

Los invertebrados
pág. 10

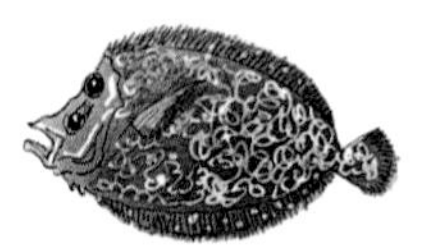

El bentos
vol. 15 - pág. 38

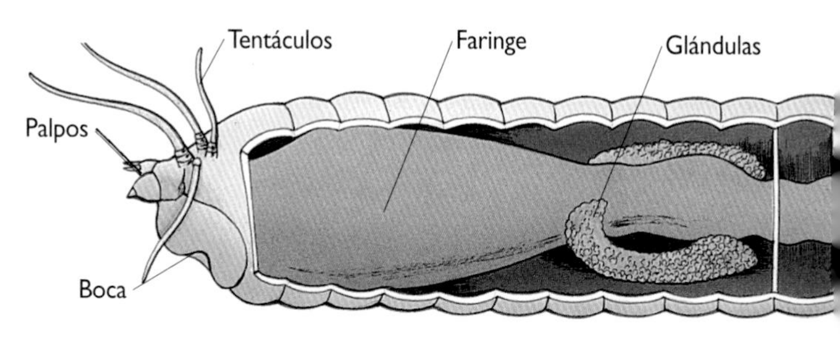

El arenícola vive en los fondos fangosos, en el interior de galerías que él mismo excava ingiriendo la arena o el barro, del que obtiene las partículas nutritivas.

Los poliquetos tubículas, como este espirógrafis, viven en el interior de tubos secretados por ellos mismos. Se nutren, respiran y se reproducen por medio de los tentáculos.

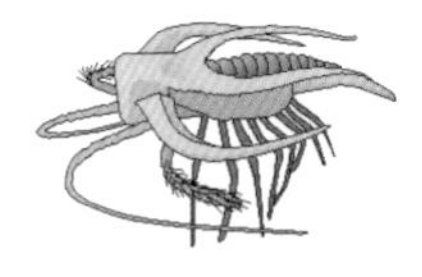

La explosión del Cámbrico vol. 16 - pág. 24

Sección longitudinal de poliqueto errante. Además de los tentáculos y del tubo digestivo, se observa la división del cuerpo en numerosos segmentos de igual tamaño; los poliquetos, como las lombrices, son también anélidos.

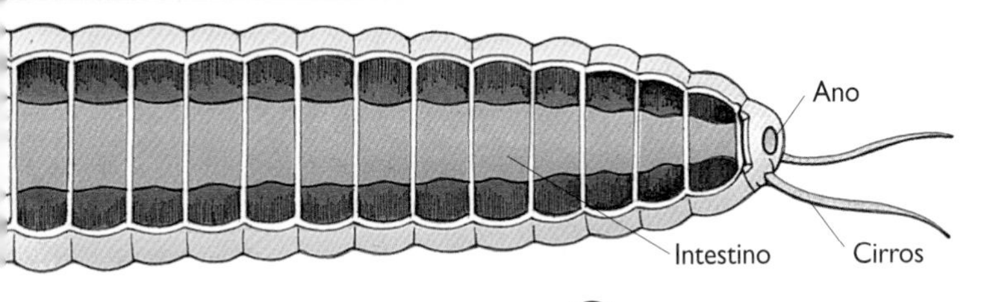

Los invertebrados
pág. 10

Los lagos
vol. 14 - pág. 78

Los ríos
vol. 14 - pág. 80

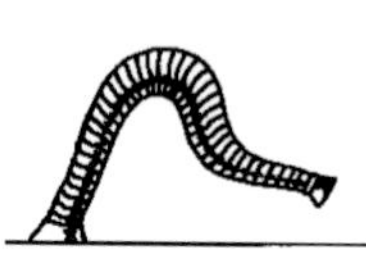

LAS SANGUIJUELAS

Muchas personas detestan a las sanguijuelas y les repugna hasta oír hablar de ellas, incluso aunque no las hayan visto nunca. Y, sin embargo, han sido durante muchos siglos uno de los instrumentos más importantes de la medicina. Las sanguijuelas pertenecen a la clase de los hirudíneos, también dentro del *phylum* de los anélidos como los poliquetos o las lombrices, y representan un extraordinario ejemplo de adaptación a la vida parasitaria.
La sanguijuela es un anélido que en vez de comer residuos se ha especializado en chupar la sangre de animales acuáticos o terrestres. Existen sanguijuelas en el mar, en aguas dulces y en los bosques tropicales pluviales. Las primeras parasitan sobre todo los peces, las segundas se adhieren a diferentes huéspedes vertebrados, incluidos animales terrestres como los jabalíes que se bañan en los charcos, mientras que las últimas esperan sobre las hojas de los árboles y arbustos a que pasen los animales. Diversas especies se adhieren también al ser humano, aunque de forma muy ocasional.
La principal adaptación a la vida parasitaria es la presencia de dos ventosas situadas en las extremidades del cuerpo que sirven para moverse fuera del agua o en los fondos acuáticos. La ventosa anterior está provista de minúsculos dientes que emplea para perforar la piel del huésped, al que inyectan sustancias anticoagulantes y anestésicas. Después, bombean la sangre rápidamente y con fuerza, gracias a una musculosa faringe parecida a la de los

Extremidad anterior de una sanguijuela con algunas de las adaptaciones a la vida parasitaria.

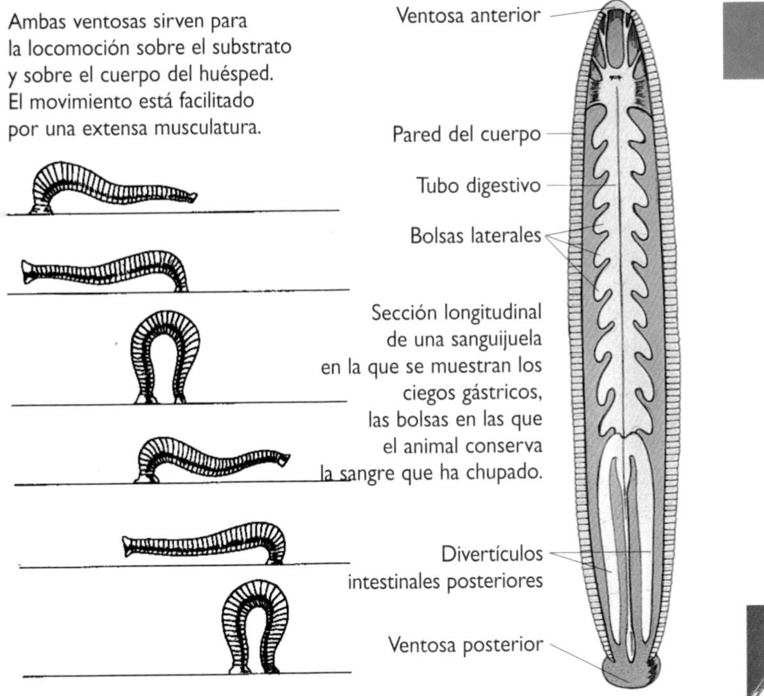

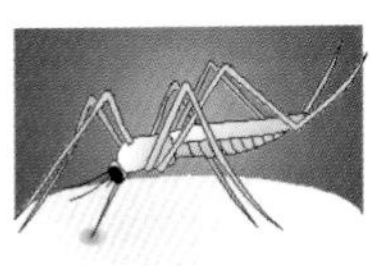

El parasitismo
vol. 14 - pág. 28

nematodos, para acumularla dentro de las bolsas laterales del intestino. Estas reservas permiten a la sanguijuela comer sólo de vez en cuando y transcurrir la mayor parte del tiempo digiriendo tranquilamente. Puesto que encontrar un huésped adecuado es cuestión de suerte, el parásito debe poder soportar períodos de ayuno. Por otra parte, cuanto menores son las comidas, menor es el riesgo de perder la vida a causa de eventuales reacciones del animal parasitado.

Las sanguijuelas se utilizan en la medicina tradicional de muchos pueblos para curar diferentes trastornos, como los hematomas, la fiebre, etc., con la antigua técnica de los sangrados.

Los equinodermos

Estrellas de mar, erizos de mar, cohombros de mar, lirios de mar: el *phylum* de los equinodermos comprende exclusivamente animales marinos. La mayoría de las personas no sabe que está estrechamente emparentada con los equinodermos. En efecto, equinodermos y vertebrados derivan de un antepasado común muy diferente del que ha dado origen al resto de los animales, como los cnidarios, los platelmintos, los nematodos, los anélidos, los moluscos y los artrópodos. Esto lo han demostrado las larvas, de simetría bilateral, el estudio del embrión y la manera en que se forman los órganos, en particular la boca, a lo largo del desarrollo.

Todos los equinodermos son bentónicos. De hecho, a diferencia de los vertebrados, han permanecido ligados al fondo marino, aprovechando sus recursos de diferentes maneras. Las estrellas de mar están especializadas en la captura de moluscos, cnidarios y otros animales lentos o inmóviles; gracias a sus brazos provistos de pies ambulacrales (una especie de minúsculas ventosas presentes en gran número) consiguen abrir los caparazones de los bivalvos y devorarlos con su aparato digestivo evaginado. Algunas estrellas marinas causan graves daños a los criaderos de mejillones. Además, algunas especies tropicales se nutren de los pólipos de las madréporas y representan una de las causas actuales del declive de los arrecifes coralinos, donde, por motivos hasta ahora desconocidos pero probablemente debidos a la actividad humana, la presencia de estas estrellas marinas se ha vuelto particularmente abundante.

Los erizos de mar, caracterizados por un cuerpo más o menos redondeado y recubierto de espinas, son organismos vagos que viven pegados a las rocas o sumergidos en los fondos arenosos, donde roen o filtran los alimentos respectivamente. Las ofiuras, también llamadas falsas estrellas de mar, trepan por las gorgonias y las madréporas para depredar los pólipos. Los cohombros de mar tienen un cuerpo cilíndrico y se mueven

Los invertebrados
pág. 10

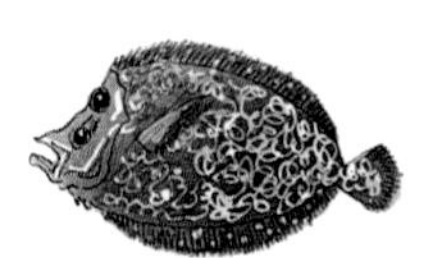

El bentos
vol. 15 - pág. 38

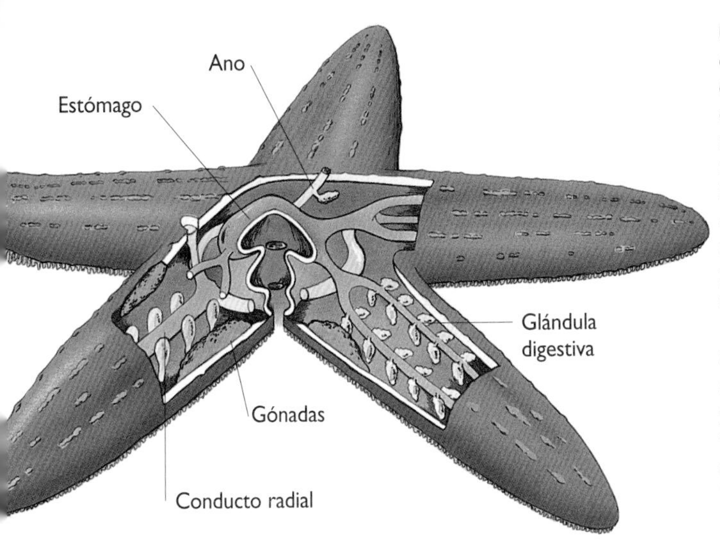

En esta sección de estrella marina se observa el aparato acuífero, típico de los equinodermos, un sistema de canales que regulan la circulación, la respiración y el movimiento. El aparato digestivo se extiende por los brazos mediante divertículos ciegos.

lentamente por el fondo marino. Todos los equinodermos producen microscópicas larvas que se dejan transportar por las corrientes marinas y representan uno de los mayores componentes del plancton animal.

Una estrella de mar en el fondo marino. Estrellas y erizos de mar, como todos los equinodermos, son organismos bentónicos, es decir, ligados al fondo marino, donde desarrollan diferentes funciones ecológicas (sobre todo como depredadores, consumidores de algas y detritívoros).

En el erizo de mar, como en la mayor parte de los equinodermos, la boca está situada en la parte inferior para buscar la comida en el fondo marino, mientras que el ano se encuentra en la parte superior. El tubo digestivo es largo y circunvalado.

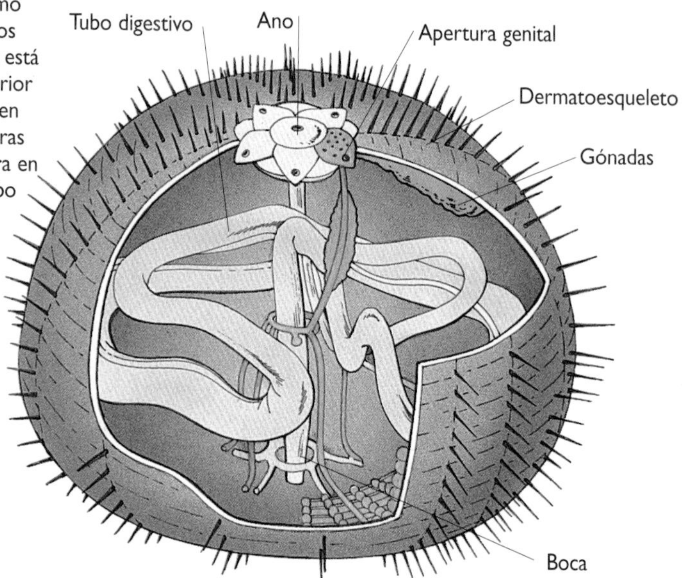

Los ofiuros tienen normalmente los brazos simples y alargados, pero algunas veces, como en la figura inferior, pueden estar impresionantemente ramificados.

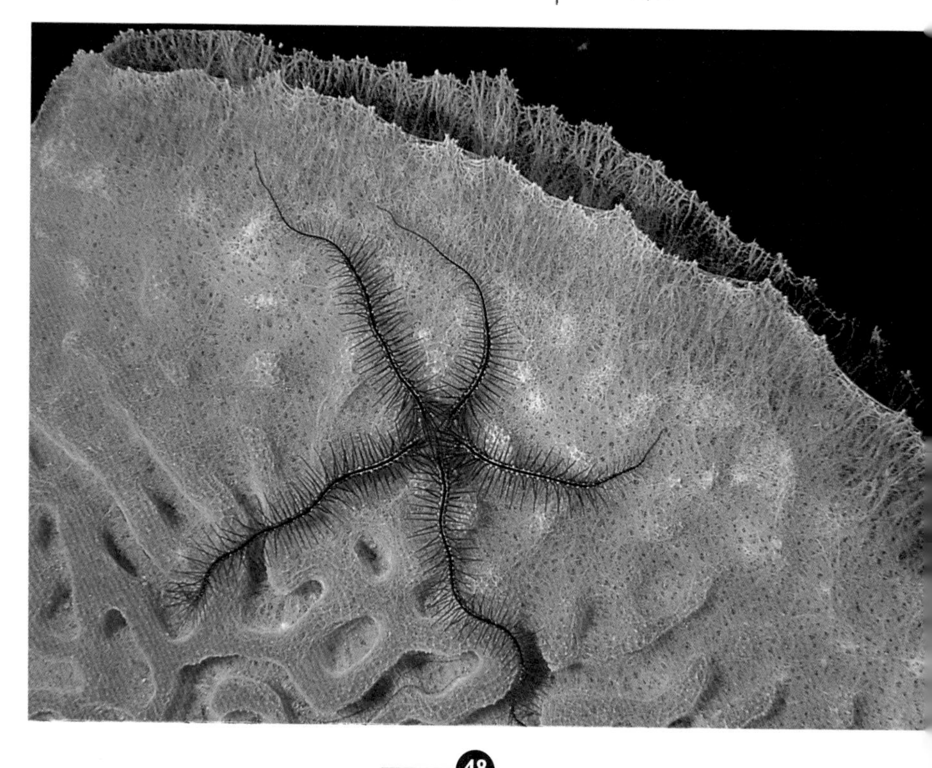

.os lirios de mar (crinoideos), .rriba, tienen un tubo digestivo :n forma de «U». A diferencia lel resto de los equinodermos, ienen el ano y la boca en a parte superior, ya que recogen filtran las partículas alimenticias uspendidas en el agua.

Los cohombros de mar (holoturoideos), abajo, tienen una forma similar a un saco tumbado, en cuyos extremos opuestos se encuentran la boca y el ano. En caso de peligro, expulsan parte de sus propios órganos internos contra el depredador para desorientarlo.

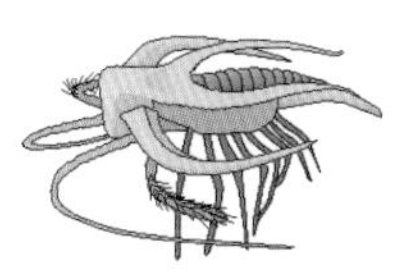

La explosión del Cámbrico vol. 16 - pág. 24

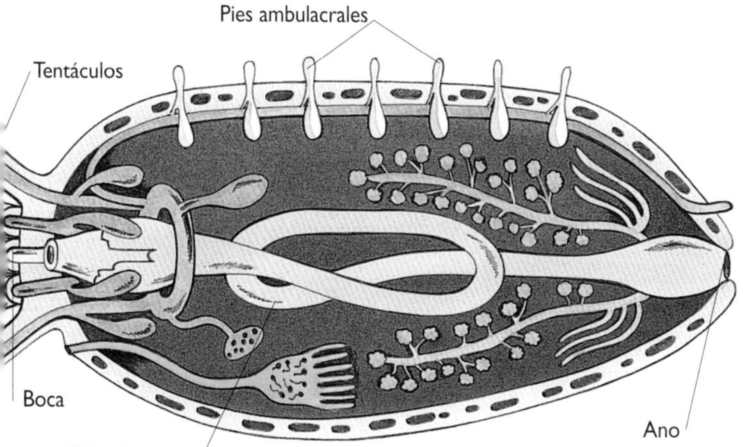

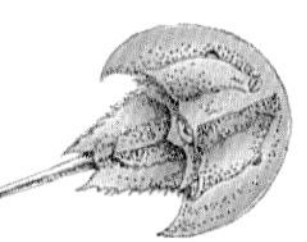

LOS ARTRÓPODOS

Los artrópodos representan la gran mayoría de los animales que viven actualmente en nuestro planeta, tanto por su número de especies como por el número de individuos. La característica principal de este *phylum* es la de tener miembros segmentados y un esqueleto externo (exoesqueleto) que puede ser delicado y flexible, o rígido y duro como una coraza y que está formado por una sustancia especial, la quitina. Las diferentes partes del animal son impulsadas por bandas musculares internas. En los vertebrados, por el contrario, el esqueleto es interno y está envuelto por un revestimiento de músculos que le hacen moverse y lo protegen de las fracturas. El exoesqueleto ha permitido a los

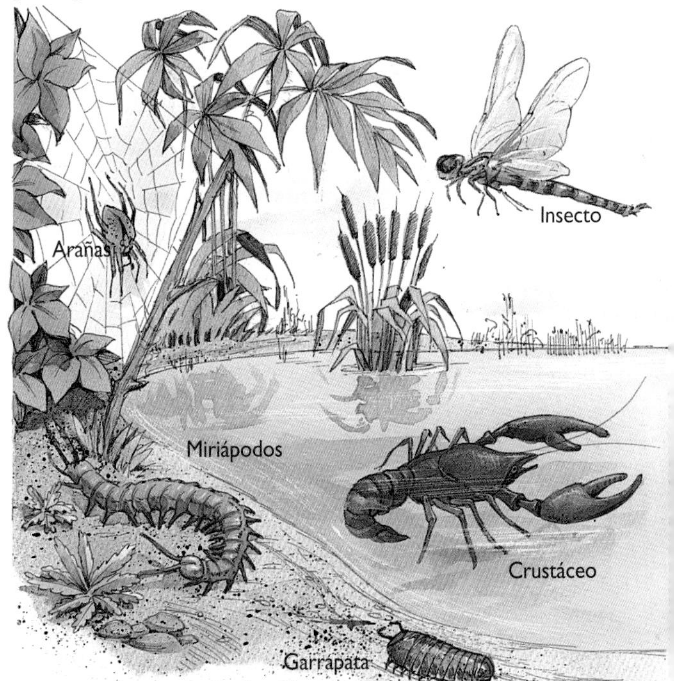

Los artrópodos han colonizado todos los hábitats de la Tierra. Además de arácnidos (como arañas, escorpiones, garrapatas), son también crustáceos (como los cangrejos) e insectos. Estas son las tres clases más importantes, aunque existen otras, como los miriápodos.

Los invertebrados
pág. 10

El endoesqueleto de los vertebrados y el exoesqueleto de los artrópodos: dos estrategias diferentes para la conquista del planeta.

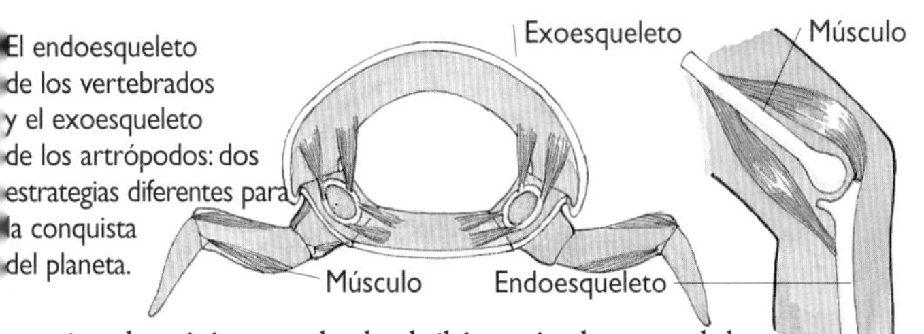

artrópodos vivir en todos los hábitats, incluso en el desierto, gracias a adaptaciones especiales contra la deshidratación. Sin embargo, no les permite superar ciertas dimensiones porque entonces los artrópodos se volverían demasiado pesados o demasiado frágiles. Por este motivo, los crustáceos, que viven en el mar, son más grandes, mientras que sobre las tierras emergidas los insectos de mayor tamaño no superan los veinte centímetros. Tienen el cuerpo dividido en tantos segmentos que podemos estudiarlos formando diferentes grupos de apéndices y ordenarlos según su posición. Además, los apéndices segmentados pueden ser numerosos, como en los llamados ciempiés, o unos pocos pares (seis en los insectos, ocho en los arácnidos). Sobre la cabeza tienen ojos simples y compuestos, además de uno o dos pares de apéndices sensoriales particulares, como son las antenas (no siempre presentes). La boca está provista de apéndices más o menos modificados que sirven para la manipulación y la ingestión del alimento. Los artrópodos pueden respirar a través de las branquias o con tráqueas especiales, según sean acuáticos o terrestres.

El exoesqueleto ha permitido a los artrópodos conquistar la tierra firme, protegiéndolos de los depredadores y de la deshidratación.

Durante su crecimiento, los jóvenes de la mayor parte de las especies deben liberarse del exoesqueleto para conseguir uno más grande.

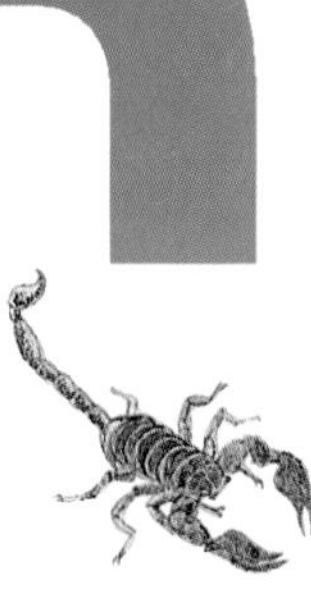

Los escorpiones
pág. 54

Los crustáceos
pág. 56

Los insectos
pág. 60

LAS ARAÑAS

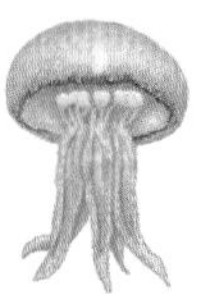

Los invertebrados
pág. 10

La depredación
vol. 14 - pág. 20

Muchas personas odian profundamente a las arañas y sienten por ellas una repugnancia atávica. Estos animales están provistos de un veneno producido por glándulas situadas en unos apéndices especiales en forma de aguijón llamados quelíceros y que se encuentran delante de la boca. El veneno sirve para paralizar o matar a la presa, puesto que todas las arañas son predadoras de otros artrópodos y, en algunos casos, hasta de pequeños vertebrados. El veneno puede servir también como defensa para dejar un mal recuerdo en la memoria de quienes intentan capturar una araña por primera vez. Sin embargo, su efecto es normalmente nulo sobre el organismo humano: sólo muy pocas especies, como la viuda negra, presente en Centroamérica y en los países del Mediterráneo, son realmente peligrosas.

Todas las demás arañas constituyen uno de los capítulos más interesantes de la evolución de los artrópodos debido a su comportamiento depredador y a sus extrañas costumbres nupciales. Muchos arácnidos construyen telarañas gracias a la secreción de unas glándulas especiales situadas en el extremo del abdomen. Otros, en cambio, cazan libremente, persiguiendo a la presa o saltando improvisadamente sobre ella.

Existen arañas terrícolas, arborícolas, acuáticas, cavernícolas, y algunas prefieren nuestras casas donde, aunque nunca comprendidas ni agradecidas, nos ayudan a defendernos de los insectos que las infestan, como las moscas, los mosquitos, las termitas, las cucarachas o las chinches. Para poder acercarse a la hembra sin

Sección longitudinal de araña en la que se observa la división del cuerpo en dos partes: el cefalotórax, con los ojos, los quelíceros, los pedipalpos y cuatro pares de patas; el abdomen, que contiene la mayor parte de las vísceras, los pulmones y las hileras.

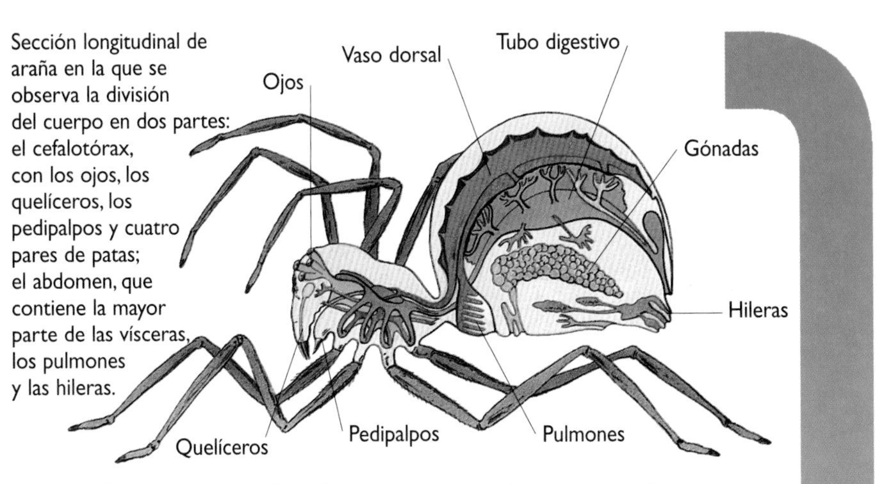

que los devoren, los machos (generalmente más pequeños) deben cortejarlas de la manera apropiada y fecundarlas velozmente, introduciendo con los pedipalpos una bolsa de esperma en el aparato reproductor femenino. ¡Por emparejarse, aunque brevemente, vale la pena jugarse la vida!

Araña cruzada, una especie común en Europa. Es frecuente que las arañas tejan una nueva tela cada noche y se coman la vieja para recuperar los materiales empleados.

Las diferentes fases de la construcción de una tela de araña. La seda producida por las arañas es una sustancia proteínica resistente y elástica.

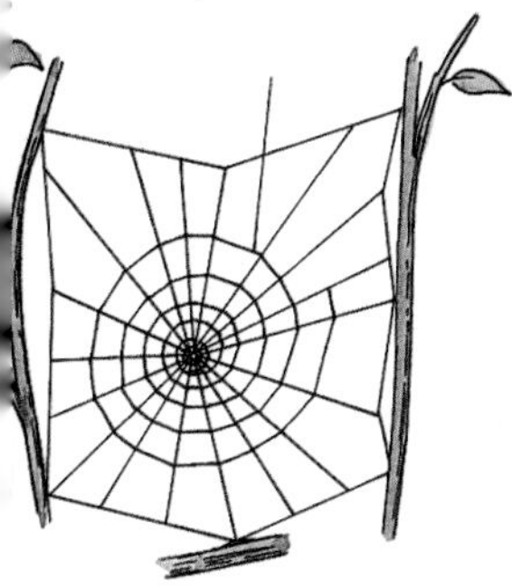

Los escorpiones

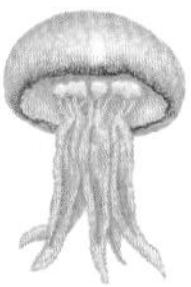

Los invertebrados
pág. 10

Los escorpiones son animales más bien primitivos y descienden de los euriptéridos, o escorpiones marinos gigantes, que vivían en los mares de la era Paleozoica hace alrededor de 500 millones de años y alcanzaban los 2 metros de largo. Los escorpiones se reconocen rápidamente por dos características: sobre la cabeza poseen dos apéndices muy desarrollados, las quelas, y la parte posterior del abdomen es alargada y estrecha, plegable hacia delante, y terminada en un aguijón provisto de una glándula venenífera. Esta parte del abdomen, la cola, sirve sólo para accionar el aguijón o acúleo, mientras que la parte anterior, más larga, contiene la mayor parte de las vísceras. En la parte inferior se encuentran los orificios de los órganos respiratorios. El aguijón sirve tanto para matar a las presas como para defenderse. Como en el caso de las arañas, existen muy pocas especies de escorpiones venenosas para el ser humano y viven en las regiones desérticas o semiáridas. Los escorpiones tienen un comportamiento reproductor muy interesante, que consiste en una complicada danza nupcial en la que el macho agarra a la hembra por las quelas y la coloca

El comportamiento reproductor de los escorpiones comienza con una da especial en la que el macho invita a la hembra a dejarse fecundar.

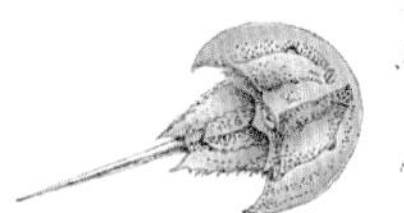

Los artrópodos
pág. 50

Las presas de los escorpiones son pequeños artrópodos, sobre todo insectos, en los que el veneno actúa velozmente.

sobre una bolsa de espermatozoides que él mismo ha puesto poco antes. Siguen los maternales cuidados de la hembra, que durante un cierto tiempo transporta en el dorso a los pequeños tenazmente agarrados. Existen cerca de 700 especies de escorpiones, la mayor parte habitantes de las regiones tropicales. En España existen dos clases de escorpiones, completamente inocuas para el ser humano.

Los escorpiones se reconocen fácilmente por la forma particular de los pedipalpos y por el aguijón final, venenífero.

Los escorpiones no pican al ser humano si no se les molesta o toca incautamente.

Los crustáceos

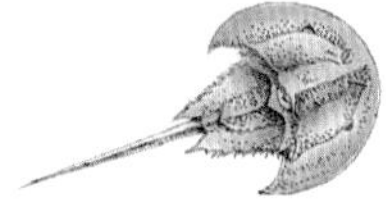

Los artrópodos
pág. 50

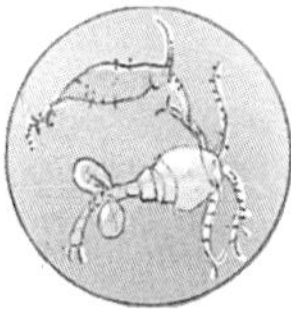

El plancton
vol. 15 - pág. 34

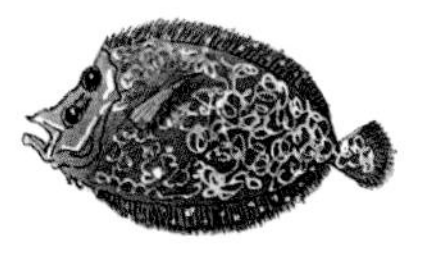

El bentos
vol. 15 - pág. 38

Si los insectos, las arañas y los escorpiones dominan la tierra firme, los crustáceos son de los pocos artrópodos (casi los únicos) que han permanecido en el hábitat marino, aunque muchos de ellos viven en aguas dulces o incluso en tierra. Pero para la mayoría de las personas los verdaderos crustáceos son los decadópodos marinos, es decir, los cangrejos, las langostas y los centollos, todos más o menos valorados culinariamente.

Muchos crustáceos poseen un cuerpo dividido en dos partes, el cefalotórax y el abdomen, cada una con un número variable de apéndices, entre los que se encuentran un par de antenas, un par de mandíbulas y un par de maxilas. En los decadópodos, los tres primeros apéndices se han transformado en maxilípedos, que sirven para ayudar a las partes verdaderamente bucales, es decir, las mandíbulas y las maxilas, a manipular y triturar el alimento. El cuarto par se ha transformado, por lo general, en quelas. Estas están más desarrolladas en las especies que, como las gambas, nadan en mar abierto formando bancos numerosos y deben tener un esqueleto externo ligero y flexible.

Los cangrejos tienen un caparazón ancho y aplanado, mientras que el abdomen es pequeño y plegado en la parte inferior. De este modo, las partes más delicadas del abdomen están protegidas y el animal puede sobrevivir un cierto tiempo fuera del agua.

Los bálanos son crustáceos cirrípedos especializados en vivir fijos en las superficies sumergidas, como escollos o cascos de los barcos.

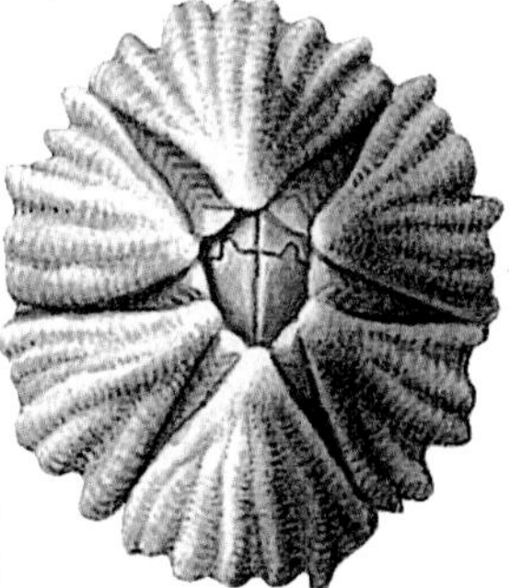

Algunos isópodos marinos alcanzan notables dimensiones, como esta especie bentónica de los mares antárticos, de aproximadamente 10 centímetros de largo (*Glyptonotus antarcticus*).

Muchos crustáceos tienen un tamaño muy pequeño, minúsculo, y forman parte del plancton, el conjunto de los organismos transportados por las corrientes. Entre estos se encuentra el kril, el alimento principal de las ballenas. Sin embargo, el cuerpo de algunos crustáceos (los extraños cirrípedos) se ha transformado completamente para vivir fijo en las rocas, sobre las conchas, sobre los caparazones de las tortugas o sobre la piel de las ballenas.

La cigala o esquila (*Squilla mantis*) posee un caparazón muy reducido y dos apéndices prensores, con los que capturar a sus presas, que recuerdan a los del insecto llamado mantis religiosa.

Los copépodos son crustáceos microscópicos que forman parte del plancton.

Inmensos bancos de eufausiáceos, pequeños crustáceos similares a las gambas, constituyen el kril, el alimento principal de las ballenas.

Los cangrejos de río son omnívoros y cumplen el papel de barrenderos en los fondos de los torrentes.

Momentos de la reproducción de un cangrejo de río: cópula, puesta de los huevos y transporte de los huevos. En comparación con los crustáceos marinos, los cangrejos de río ponen un pequeño número de huevos; tras la eclosión, las hembras transportan a las crías bajo el abdomen.

Los cangrejos de río se encuentran en peligro de extinción por dos motivos: la contaminación de su hábitat y la pesca ilegal para uso alimen

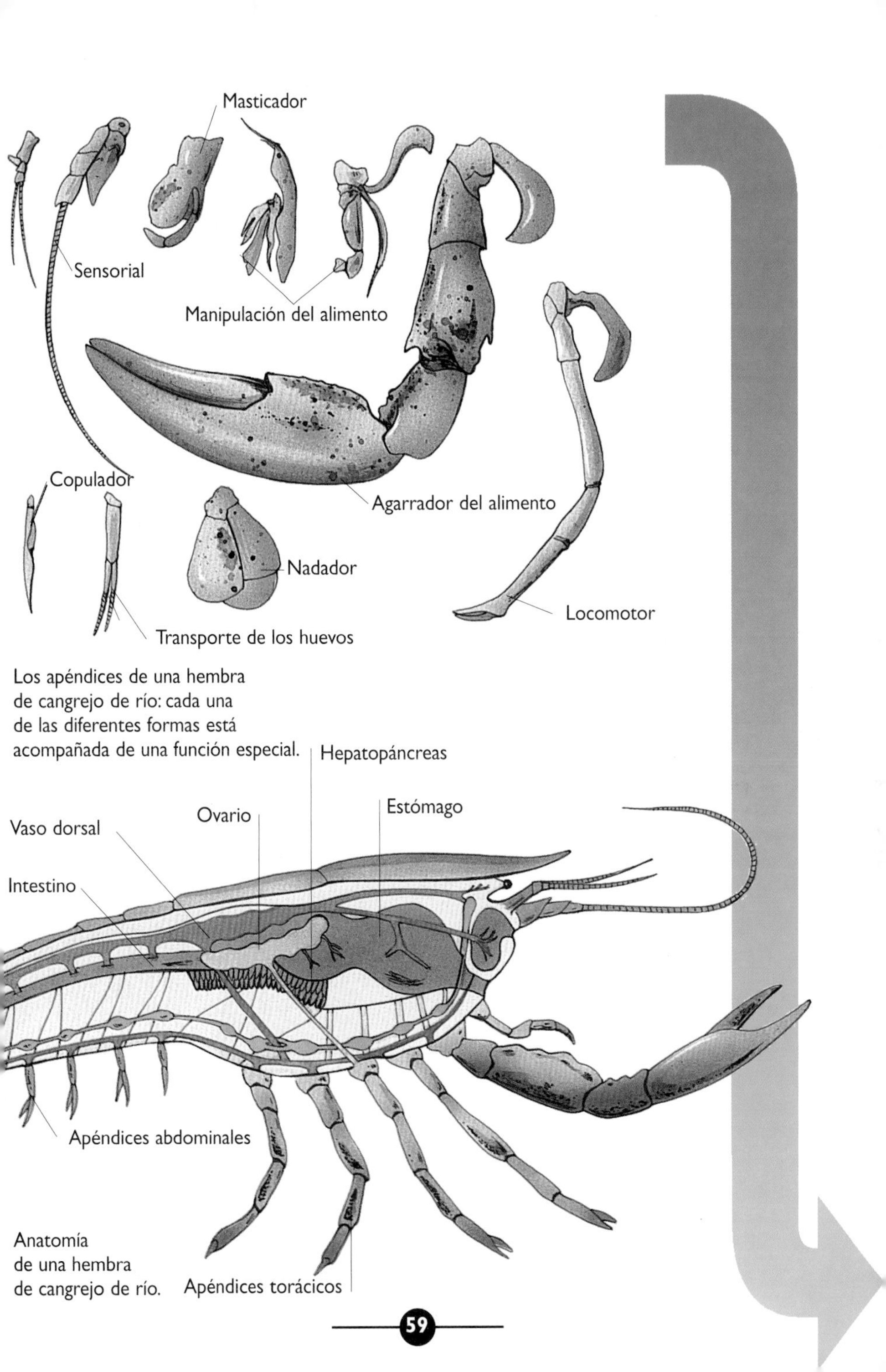

Los apéndices de una hembra de cangrejo de río: cada una de las diferentes formas está acompañada de una función especial.

Anatomía de una hembra de cangrejo de río.

Los insectos

Según estimaciones recientes, en nuestro planeta existen varios millones de especies de insectos, tal vez incluso 35 millones, todavía sin nombre. Los entomólogos han llegado a describir alrededor de un millón, pero todavía desconocemos la mayor parte, que vive en los bosques tropicales pluviales. Resultaría todavía más sorprendente el cálculo del número de los individuos de todas las especies que se encuentran sobre la Tierra en un momento dado, en caso de que fuera posible hacerlo. Lo que es cierto es que el peso de sus cuerpos supera ampliamente al del resto de los animales juntos, incluidos los grandes mamíferos. Sólo las hormigas pesan más o menos lo mismo que todos los hombres y mujeres del planeta.

Debemos reconocer que los verdaderos dominadores de tierra firme son los insectos. Sólo hay que pensar en las enormes sumas de dinero que el ser humano gasta anualmente, sin resultados satisfactorios, en luchar contra los insectos dañinos para la agricultura y la ganadería, los que transmiten las enfermedades y los que dañan o destruyen las reservas de alimentos.

Los artrópodos pág. 50

Insectos

Otros artrópodos

Otros animales

Los insectos representan dos tercios de las especies animales descritas hasta ahora, pero su número real es todavía más elevado.

Los ojos compuestos
están muy difundidos
entre los insectos.
En la abeja, por ejemplo,
cada ojo está compuesto
por cerca de 6 300 unidades.

Sin embargo, los insectos representan la base de las cadenas alimentarias en los ecosistemas terrestres: sin estos no existirían los pájaros ni otros muchos animales que se alimentan de ellos. Sin los insectos que contribuyen a la polinización, la mayoría de las plantas floríferas no podrían reproducirse. Sin los insectos coprófagos y necrófagos, los prados y los bosques estarían llenos de excrementos y de cadáveres de animales. Sin los insectos depredadores de parásitos, otros animales, como los moluscos y los nematodos, se multiplicarían desmesuradamente.

El escarabajo hércules
(*Dynastes Hercules*) de América
central y Sudamérica, puede
superar los 15 centímetros
de largo, por lo que es el insecto
vivo más grande.
A pesar de su terrorífico aspecto,
es completamente
inofensivo.

Mymar pulchellus es un minúsculo
himenóptero con 3 milímetros
de envergadura. Sus larvas viven
como parásitos dentro
de los huevos de otros insectos.

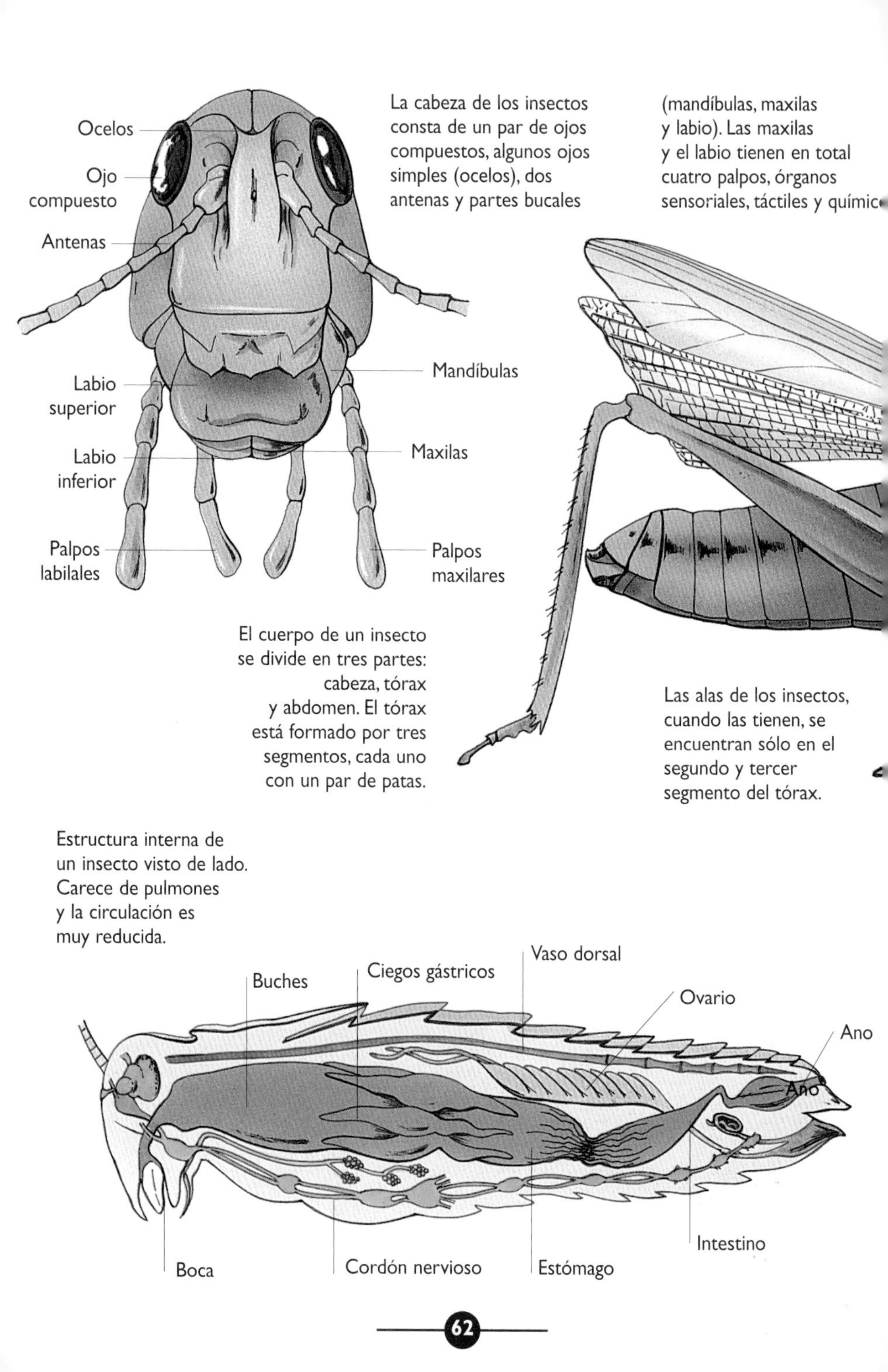

La cabeza de los insectos consta de un par de ojos compuestos, algunos ojos simples (ocelos), dos antenas y partes bucales (mandíbulas, maxilas y labio). Las maxilas y el labio tienen en total cuatro palpos, órganos sensoriales, táctiles y químic

El cuerpo de un insecto se divide en tres partes: cabeza, tórax y abdomen. El tórax está formado por tres segmentos, cada uno con un par de patas.

Las alas de los insectos, cuando las tienen, se encuentran sólo en el segundo y tercer segmento del tórax.

Estructura interna de un insecto visto de lado. Carece de pulmones y la circulación es muy reducida.

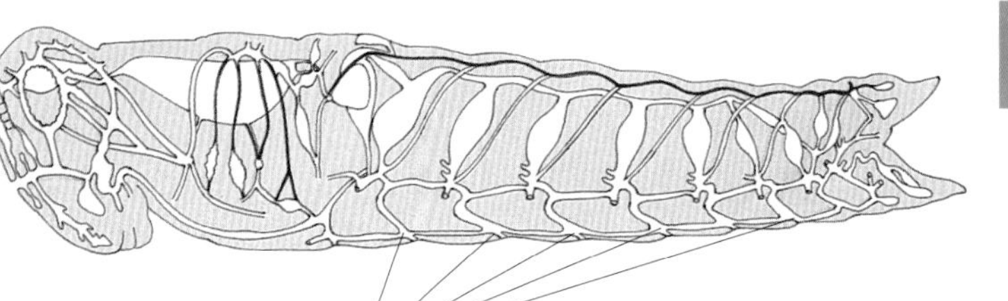

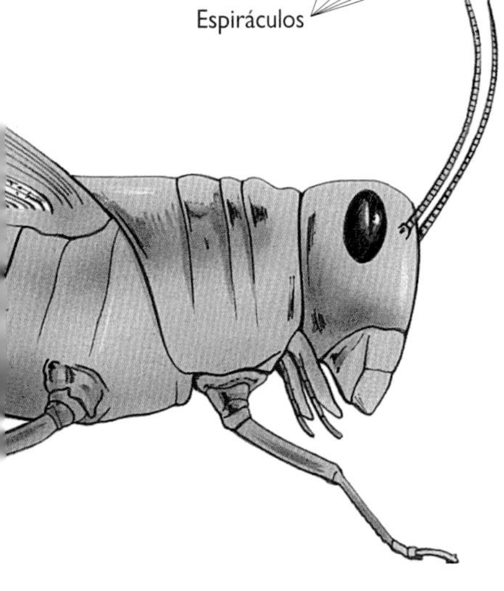

Los insectos respiran a través del aparato traqueal, un complejo sistema de tubos ramificados que atraviesa todo el cuerpo, transportando oxígeno a las células. Estos conductos desembocan en espiráculos, aberturas simétricas situadas a los lados del cuerpo.

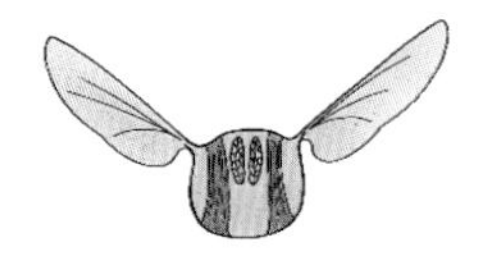

El vuelo de los insectos
pág. 68

Dos saltamontes copulando.

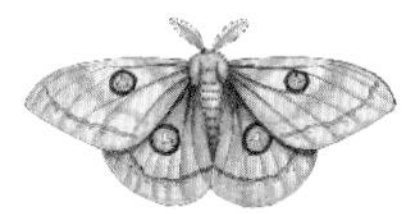

La diversidad de los insectos
pág. 70

EL DESARROLLO DE LOS INSECTOS

Todos conocemos y admiramos a las mariposas. Tanto a las diurnas, elegantes visitantes de flores, como a las nocturnas, misteriosas frecuentadoras de farolas. Todos conocemos también a las orugas, esos animales tan poco agradables que descubrimos entre las hojas de la ensalada o dentro de una manzana recién pelada.

Las mariposas son el resultado del desarrollo de las orugas. La mariposa suele poner los huevos sobre las hojas de una planta: de estos nacen pequeñas larvas, las orugas, que devoran las hojas y crecen. Llega un momento en que la larva deja de alimentarse, se inmoviliza y se transforma en crisálida o pupa, para después abrirse y salir , convertida en mariposa, de la antigua envoltura.

Este proceso de metamorfosis completa, es decir, de transformación radical durante su desarrollo, se observa con múltiples variantes en todos los insectos más desarrollados como los lepidópteros (mariposas), los coleópteros (escarabajos, ditiscos, mariquitas, algavaros, etc.), los dípteros (moscas y mosquitos) y los himenópteros (abejas, avispas y hormigas).

Los artrópodos
pág. 50

En los insectos menos evolucionados como los ortópteros (grillos y saltamontes) y los hemípteros (chinches, pulgones y cigarras), la transformación no llega a ser tan profunda. Se habla entonces de metamorfosis incompleta que comienza con el nacimiento de un áptero, miniatura del adulto pero privado de alas.

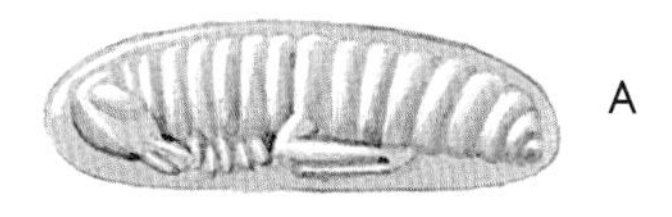

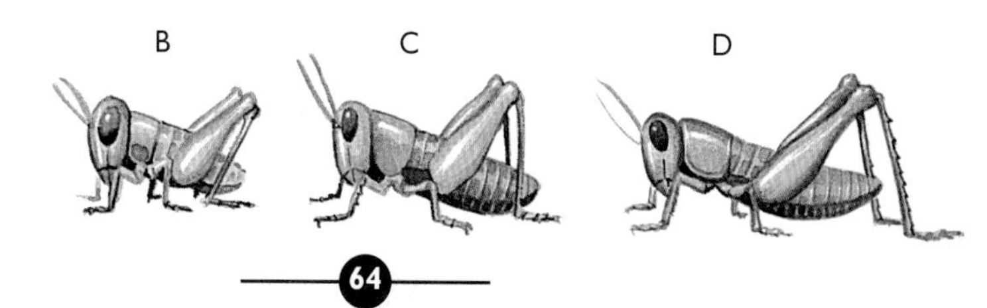

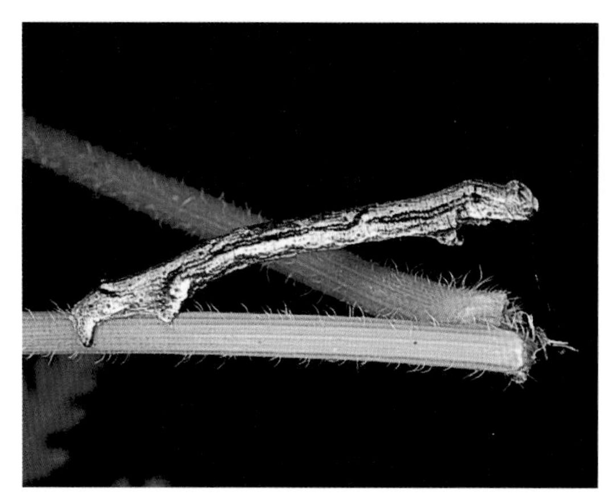

Estos últimos inician su desarrollo en la etapa sucesiva, llamada ninfa, para posteriormente metamorfosearse en el insecto perfecto o adulto. En algunos casos concretos, los adultos carecen de alas y únicamente se distinguen de la fase juvenil por sus dimensiones, además de por la maduración de los aparatos reproductores. Es, por ejemplo, el caso de los piojos, que han perdido las alas debido a la adaptación a la vida parasitaria. Además, existen insectos en los que la fase juvenil es acuática, mientras que ya adultos son voladores, como sucede, por ejemplo, con las libélulas.

Arriba, a la izquierda, oruga de lepidóptero zigénido sobre una leguminosa. Las larvas de vistosos colores suelen ser venenosas.

Arriba, oruga de lepidóptero geométrido que simula ser una rama para escapar de los depredadores.

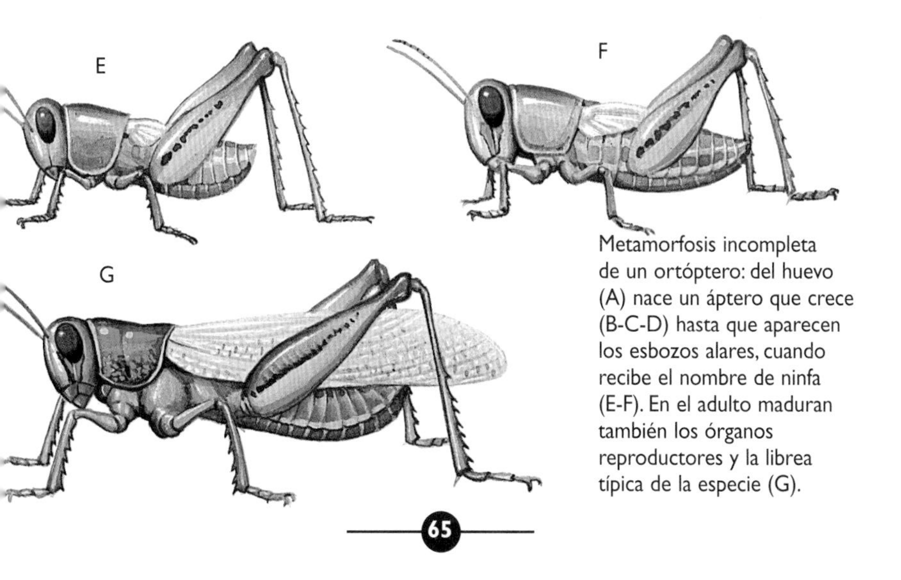

Metamorfosis incompleta de un ortóptero: del huevo (A) nace un áptero que crece (B-C-D) hasta que aparecen los esbozos alares, cuando recibe el nombre de ninfa (E-F). En el adulto maduran también los órganos reproductores y la librea típica de la especie (G).

Los huevos eclosionan
y salen las larvas.

La larva crece
alimentándose de hojas.

La larva madura
se acerca a su
transformación en pupa.

En sentido contrario
a las agujas del reloj,
metamorfosis completa
de una mariposa diurna,
la macaón (*Papilio machaon*).

La metamorfosis se ha completado: la mariposa sale de la crisálida.

La hembra pone los huevos sobre una umbelífera.

Etapas sucesivas de la pupa.

EL VUELO DE LOS INSECTOS

El vuelo es una conquista de pocos. En el reino animal, los grupos que lo han conseguido son tan solo tres: murciélagos, pájaros e insectos. Pero no todos los insectos vuelan. Los más primitivos, que viven en el suelo y son de pequeña dimensión, carecen de alas. Sin embargo, las alas de los insectos no tardaron mucho en aparecer; lo hicieron en el Carbonífero, hace unos 300 millones de años, con las libélulas. Las alas permitieron a los primitivos neurópteros (con un tamaño de aproximadamente 65 centímetros) explorar el territorio desde lo alto en busca de presas. Sucesivamente, las alas se fueron especializando, con la transformación de las anteriores o de las posteriores, según las circunstancias.

En los evolucionados dípteros (moscas y mosquitos), por ejemplo, el segundo par de alas quedó reducido a dos muñones, los llamados balancines, que tienen la función de equilibrar el vuelo. En cambio, tanto en los ortópteros (saltamontes y grillos) como en numerosos hemípteros (chinches), el primer par se ha endurecido para sostener y proteger las alas posteriores. Este proceso de endurecimiento ha llegado a su extremo en los coleópteros, cuyas alas posteriores (las únicas adaptadas al vuelo) en reposo quedan totalmente recubiertas por las anteriores, los élitros, una especie de coraza protectora.

En algunas especies, como ciertas mariposas y luciérnagas, el vuelo es una actividad exclusiva o predominante de los machos,

Los insectos
pág. 60

La mariposa se alza en vuelo casi verticalmente, aprovechando la reacción descendente de un un remolino de aire que ella misma crea con las alas.

A

Primero alza las alas en posición erguida (A).

B

C

Después, las aleja con un movimiento de aire hacia los bordes (B y C).

Arriba, una libélula. Las libélulas son eficientes depredadores gracias a su habilidad en el vuelo, que utilizan también para defender su territorio.

El vuelo de los insectos se realiza gracias a músculos que pueden actuar directa e indirectamente sobre las alas, alterando rítmicamente la forma del tórax, y provocando, por tanto, la elevación o el descenso de estas.

pues deben buscar a la hembra, que los espera lanzando señales olfativas o luminosas. En algunos insectos, como en las hormigas y las termitas, la casta de las trabajadoras, es decir, la gran mayoría de los individuos, carece de alas. Por último, recordar que en muchos insectos las alas no sirven sólo para volar, sino que, con su colorido, favorecen la identificación y la comunicación.

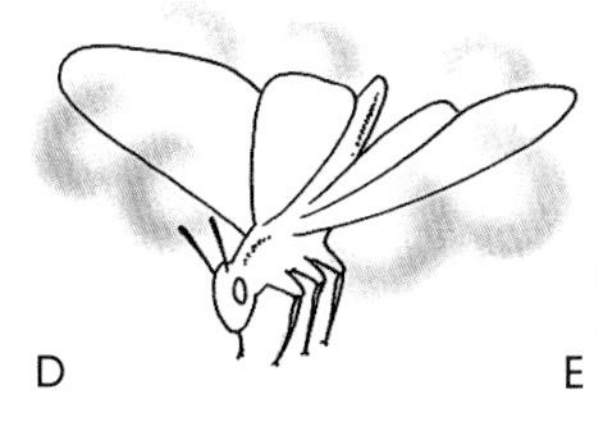

El empuje descendente de la masa de aire circundante, crea una reacción hacia arriba y la mariposa se eleva (D).

Las alas alcanzan la parte inferior del movimiento y el aire se libera en forma de remolino (E y F).

La diversidad de los insectos

Los insectos
pág. 60

Los insectos han colonizado todos los hábitats terrestres compatibles con la vida: desde las cimas nevadas hasta las cavernas, desde las más perdidas islas oceánicas hasta los desiertos más tórridos. La gran capacidad adaptativa de estos animales les ha permitido ocupar un número inmenso de nichos ecológicos. Además de por la transformación de las alas y las diferentes modalidades de desarrollo, los insectos se caracterizan por la enorme diversidad en la forma de sus aparatos bucales, que representan la expresión directa de sus respectivos papeles ecológicos. Los insectos más primitivos tienen un aparato bucal masticatorio con mandíbulas trituradoras, idóneas para desmenuzar los detritos del suelo. Según las diferentes especializaciones alimentarias, estas piezas bucales pueden transformarse notablemente, formando aparatos muy eficientes y originales.

Así, mientras los hemípteros poseen piezas bucales picadoras-chupadoras, en los sifonápteros y en los dípteros se han alargado hasta transformarse en estiletes perforadores. De este modo, las chinches, las pulgas y los mosquitos pueden atravesar la piel humana para chupar la sangre, mientras

Cómo nace
una especie
vol. 9 - pág. 72

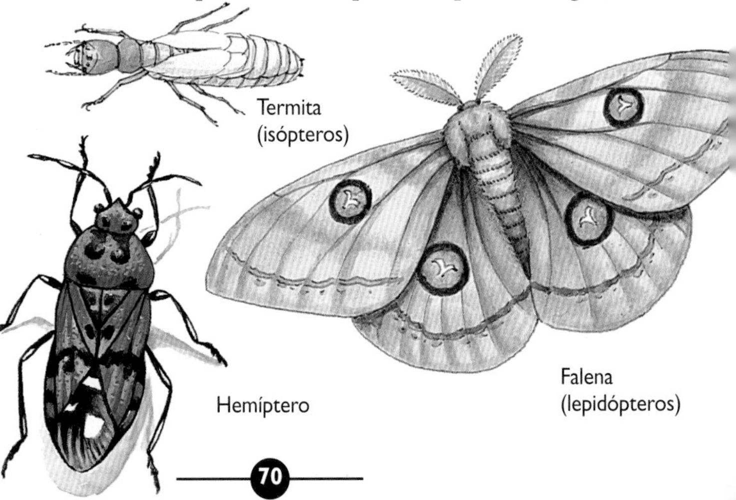

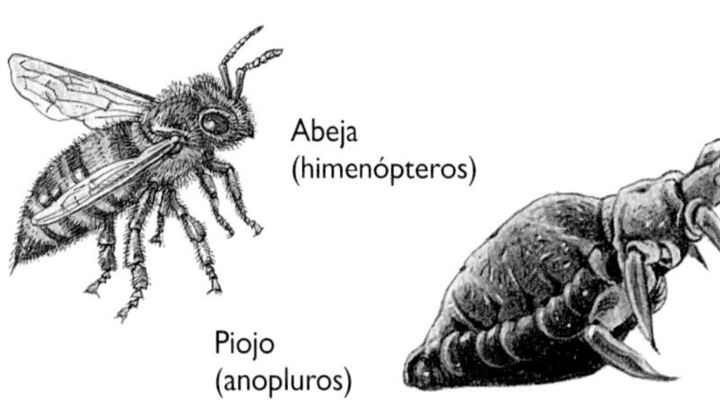

Cigarra
(homópteros)

que las chinches de las plantas y los pulgones perforan los tejidos vegetales para nutrirse de linfa. Las mariposas poseen una curiosa espiritrompa, es decir, una especie de probóscide que puede enrollarse bajo la cabeza y está formada por el alargamiento de las mandíbulas. De este modo pueden chupar el néctar introduciendo dicho órgano en el cáliz de las flores. También la forma de las patas puede contribuir a la gran diversidad de formas en los insectos, con adaptaciones para el salto como en los ortópteros y en las pulgas; para la depredación como en la mantis religiosa; o para la carrera como en las cucarachas.

Tijereta
(dermápteros)

Muchísimos insectos consiguen camuflarse de manera increíble en la vegetación, la tierra o la corteza de los árboles, adoptando formas y colores insólitos. Otros muestran fantásticos coloridos para que las hembras los elijan.

Mantis
(mántidos)

Cucaracha
(blátidos)

Lepísmido
(colémbolos)

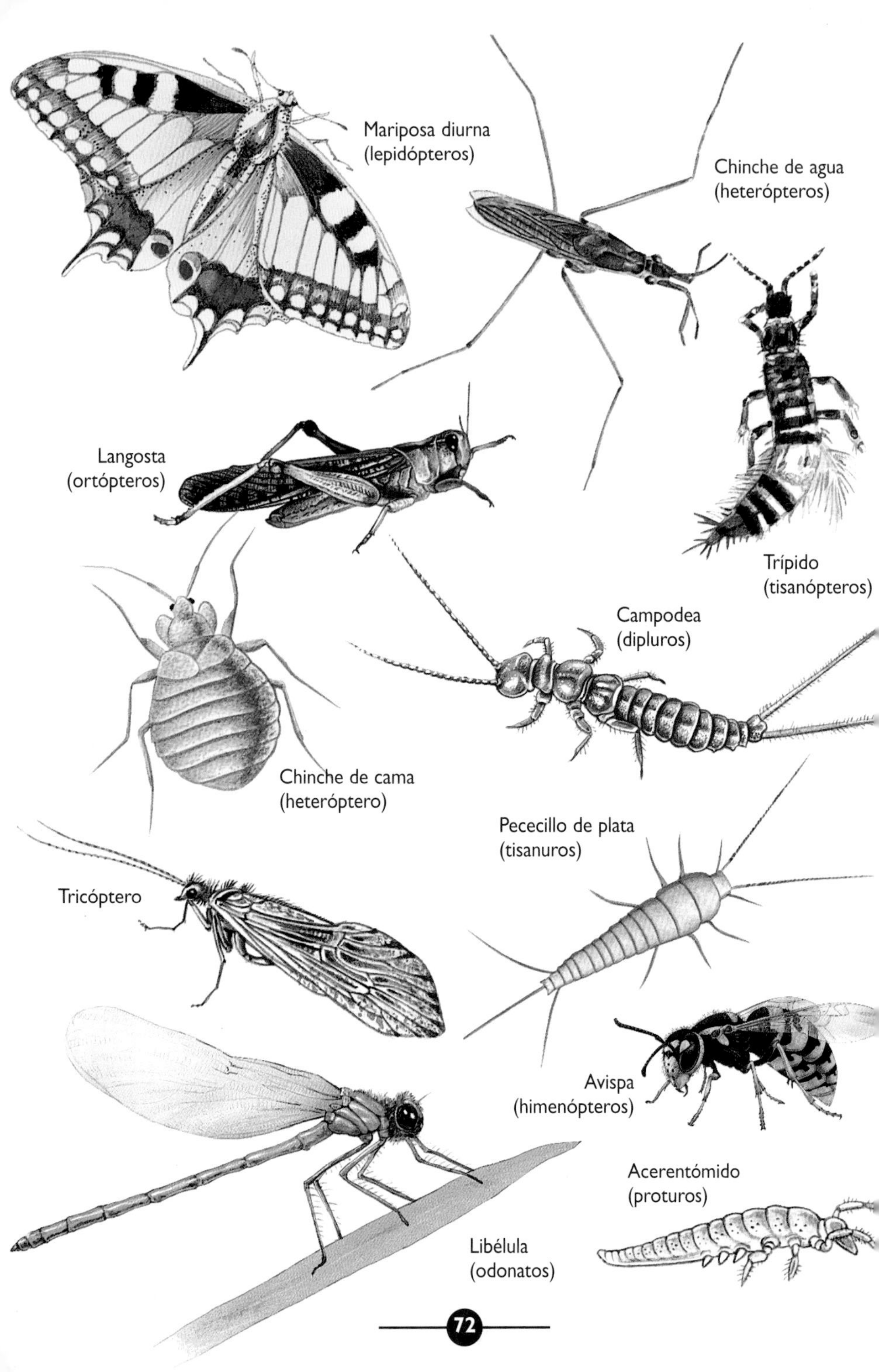
Mariposa diurna
(lepidópteros)
Chinche de agua
(heterópteros)
Langosta
(ortópteros)
Trípido
(tisanópteros)
Campodea
(dipluros)
Chinche de cama
(heteróptero)
Pecецillo de plata
(tisanuros)
Tricóptero
Avispa
(himenópteros)
Acerentómido
(proturos)
Libélula
(odonatos)

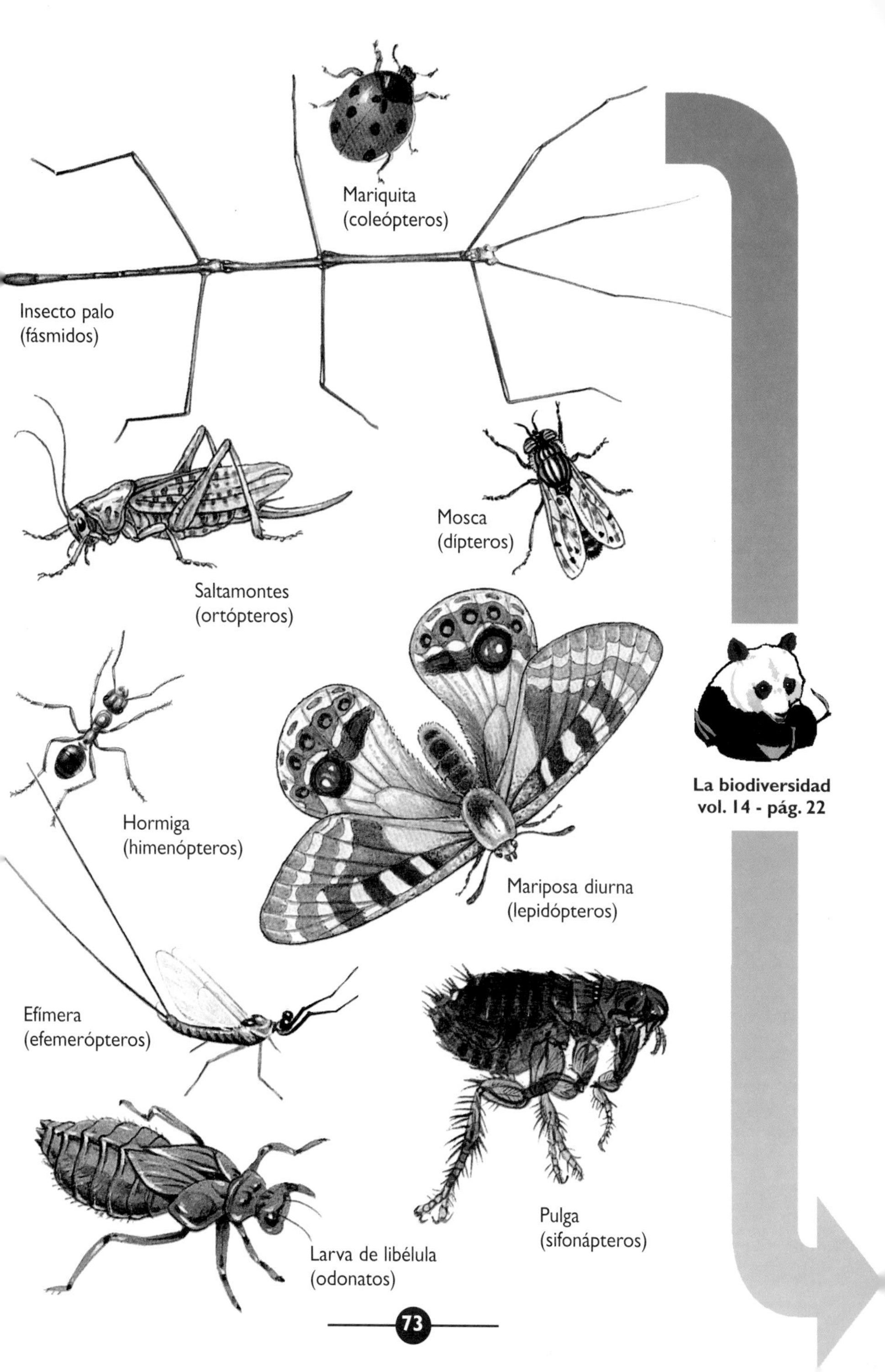

La biodiversidad
vol. 14 - pág. 22

LAS ABEJAS

Todas las abejas que forman parte de una colmena son hijas de una misma madre: la llamada reina. La función principal de la reina en la sociedad de las abejas es la de reproducirse continuamente, poniendo un impresionante número de huevos: 2 000 al día, alrededor de 2 millones a lo largo de su vida, que dura entre 4 y 5 años. De los huevos no fecundados nacen los zánganos, es decir, los machos, mientras que de los fecundados nacen las hembras. Sin embargo, para alcanzar la madurez sexual y convertirse en futuras reinas, las larvas femeninas tienen que ser alimentadas con una comida especial, la jalea real.

Aún así, la mayor parte de las larvas femeninas se transforman en individuos estériles, las obreras. Ellas son el verdadero motor de la colmena, ya que todo se hace gracias a su incesante trabajo; primero se ocupan de ventilar el néctar, cuidar de las larvas o fabricar las celdas de cera, después de recolectar el polen o conseguir alimentos. Esta es la fase más arriesgada de su vida, pues muchas mueren debido a los depredadores o al frío: por eso la reina sigue poniendo huevos incesantemente.

Los insectos
pág. 60

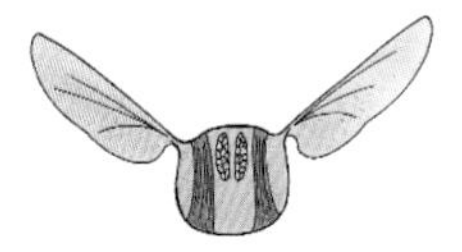

El vuelo de los insectos
pág. 68

La comunicación animal
vol. 13 - pág. 72

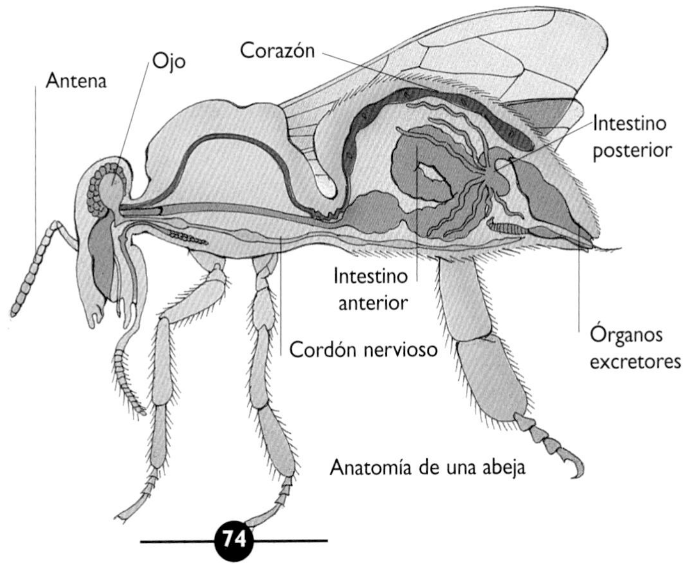

Anatomía de una abeja

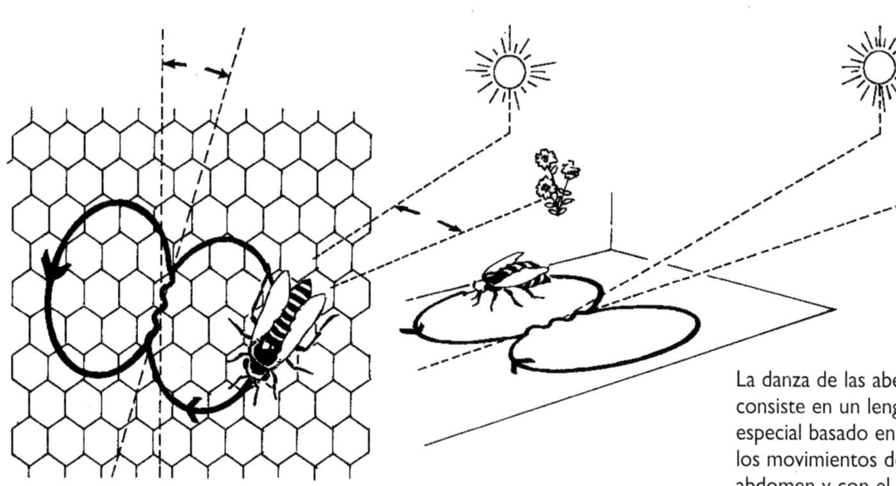

La danza de las abejas consiste en un lenguaje especial basado en los movimientos del abdomen y con el que las abejas se comunican intercambiándose información sobre la dirección de las fuentes de alimento. Para indicarlo se basan en el ángulo formado entre dicha fuente y el Sol.

Todas las obreras, en el transcurso de su breve vida (4-5 semanas), desarrollan en orden las funciones anteriormente enumeradas, siguiendo un calendario innato. Entrada la primavera, tiene lugar el enjambramiento, un comportamiento social que determina el abandono de la vieja colmena por parte de la reina, seguida de un grupo de obreras, y la formación de nuevas colmenas por nuevas reinas. Estas realizan el llamado vuelo nupcial, durante el que son fecundadas por los machos y almacenan el esperma que deberán conservar para toda la vida. Después de la fecundación los zánganos dejan de ser necesarios y, por tanto, se les expulsa o mata.

Las tres castas en la sociedad de las abejas: reina, obrera y zángano. Las castas se distinguen por la diferencia de las dimensiones del cuerpo y de los ojos, la longitud del abdomen y de las alas.

Obrera

Reina

Zángano

Abeja reina rodeada de las obreras que la alimentan y limpian. Puede producir hasta 2 000 huevos diarios.

En cada celda se introduce un huevo junto con una mezcla de polen y miel.

Obreras que se intercambian la comida boca a boca.

La obreras producen la jalea real, con la que nutren a las larvas de las futuras reinas.

Los zánganos, es decir, los machos, se distinguen por sus grandes ojos. Las obreras los nutren hasta el día del apareamiento.

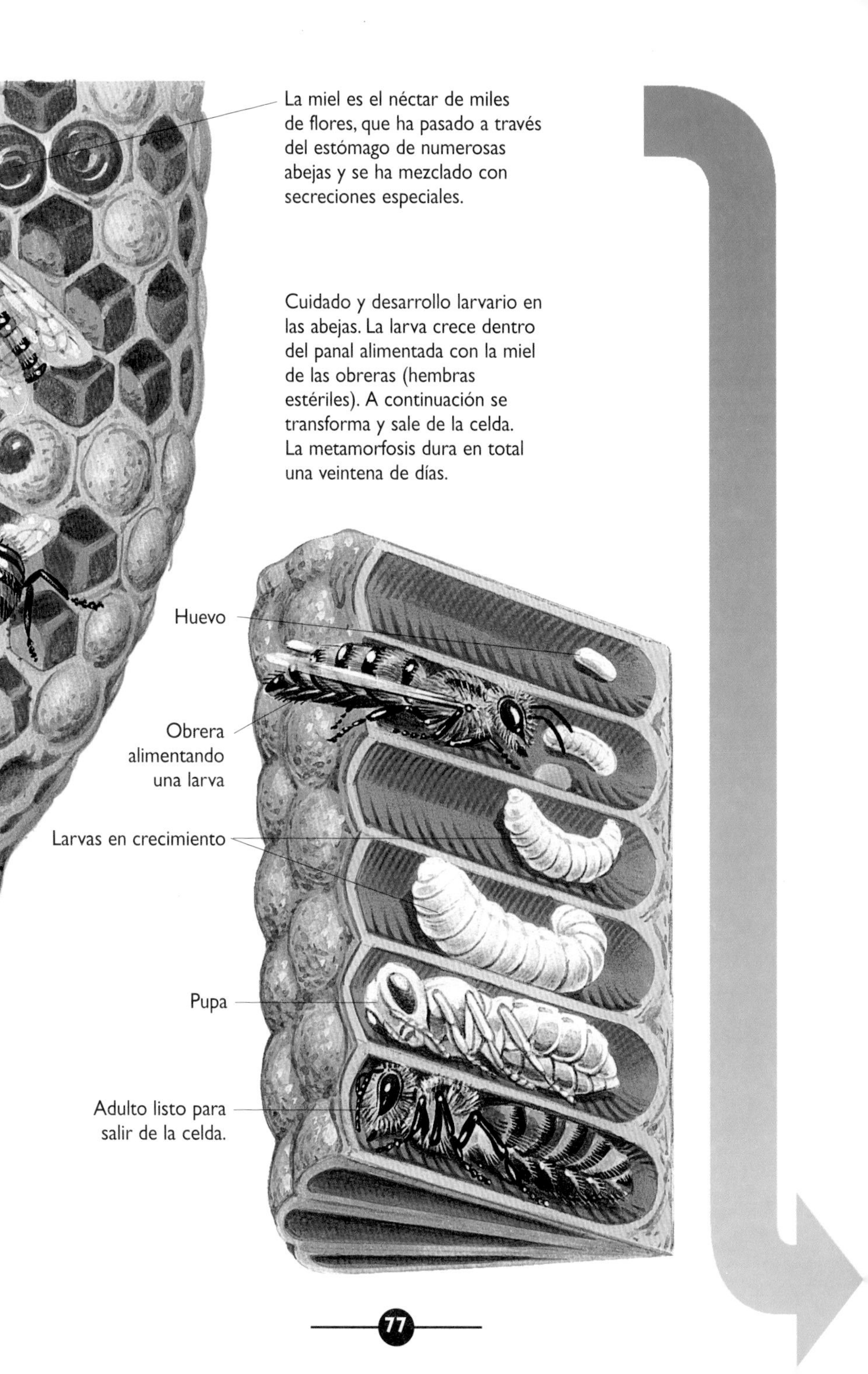

Cuidado y desarrollo larvario en las abejas. La larva crece dentro del panal alimentada con la miel de las obreras (hembras estériles). A continuación se transforma y sale de la celda. La metamorfosis dura en total una veintena de días.

LAS HORMIGAS

Existen más de 10 000 especies de hormigas, que han colonizado todos los hábitats terrestres del planeta. Como las abejas, las hormigas también pertenecen al orden de los himenópteros y viven organizadas en sociedades formadas por un gran número de individuos estériles, generalmente hijos de una misma hembra. Sin embargo, mientras las abejas trabajan sobre las flores nutriéndose de néctar y polen, las hormigas son omnívoras, detritívoras pero, sobre todo, depredadoras. Su alimento lo buscan principalmente sobre el terreno, aunque algunas especies exploran los troncos y las hojas de los árboles o de los arbustos. Para desarrollar este papel ecológico no son necesarias las alas, que, por el contrario, resultarían un estorbo en las estrechas galerías de los nidos subterráneos en que viven la mayoría de las hormigas. Así que las alas han desaparecido y las conservan solamente los individuos sexuados (machos y hembras) que deben volar para asegurar la reproducción y la propagación de la especie. Una vez ha tenido lugar la fecundación, la hormiga hembra, fundadora de un nuevo hormiguero, se amputa las alas y se ciñe a la vida subterránea como reproductora.

A diferencia del resto de los himenópteros, que poseen un aguijón al final del abdomen (presente únicamente en las hembras ya que se trata de un oviscapto transformado), las hormigas utilizan sólo sus robustas mandíbulas para defenderse y procurarse el alimento. Dentro de una misma especie pueden existir varios tipos de obreras: las que tienen la cabeza más grande y las mandíbulas más desarrolladas se llaman soldados. En los hormigueros existen otras muchas especies de insectos (denominados mirmecófilas) que viven bajo la protección de las hormigas y se nutren con su comida. Las sociedades de las hormigas guerreras africanas pueden llegar a tener más de un millón de individuos, que se trasladan continuamente por los bosques tropicales en largas columnas y devoran todo lo que encuentran a su paso.

Los insectos
pág. 60

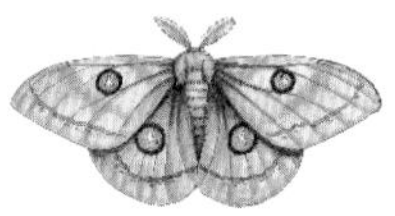

La diversidad
de los insectos
pág. 70

La comunicación
animal
vol. 13 - pág. 72

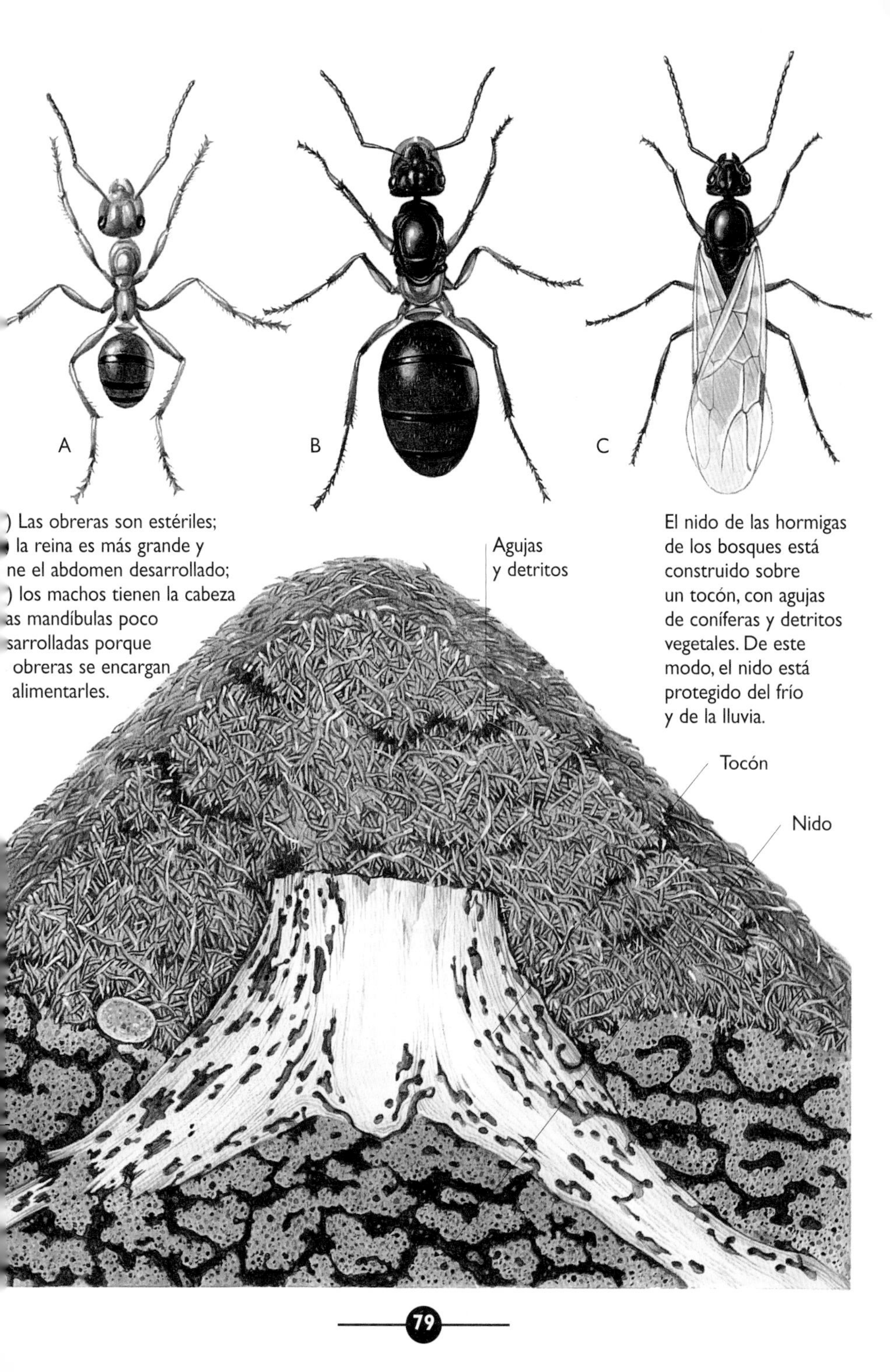

) Las obreras son estériles;
la reina es más grande y
ne el abdomen desarrollado;
) los machos tienen la cabeza
as mandíbulas poco
sarrolladas porque
obreras se encargan
alimentarles.

El nido de las hormigas
de los bosques está
construido sobre
un tocón, con agujas
de coníferas y detritos
vegetales. De este
modo, el nido está
protegido del frío
y de la lluvia.

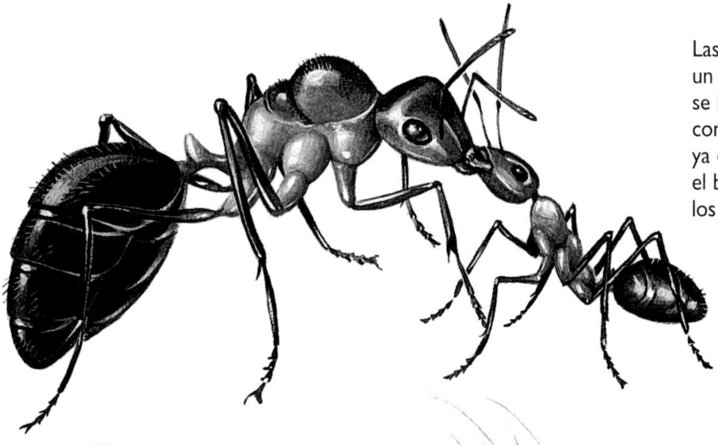

Las hormigas poseen
un «estómago social»:
se intercambian
continuamente la comida
ya digerida, asegurando
el bienestar de todos
los miembros de la sociedad

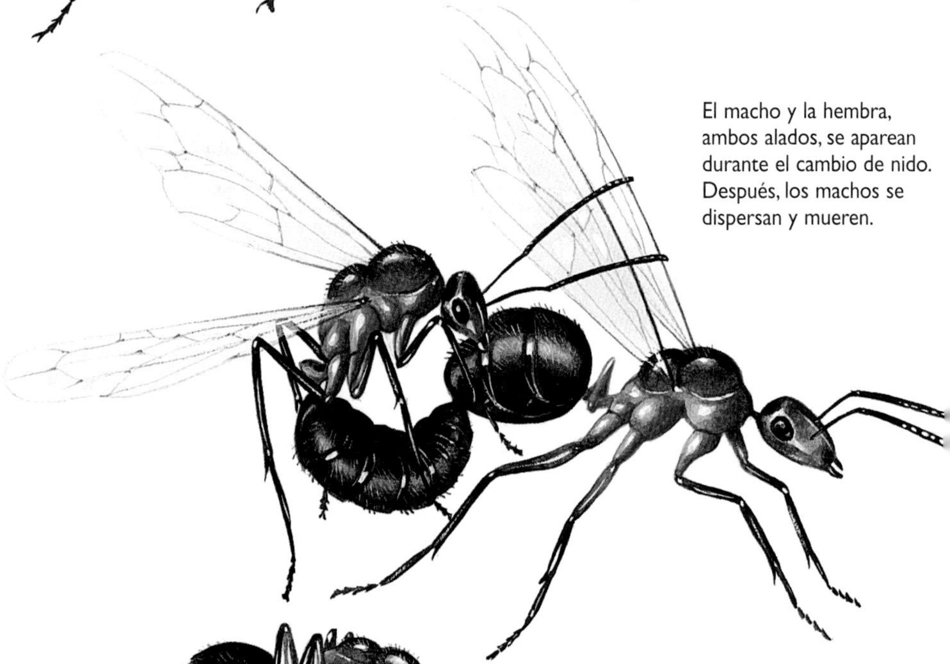

El macho y la hembra,
ambos alados, se aparean
durante el cambio de nido.
Después, los machos se
dispersan y mueren.

Tras el apareamiento,
la hembra se amputa
las alas, comienza a poner
huevos dentro de una
pequeña cavidad y ayuna
a la espera de que
las primeras obreras
se vuelvan adultas.

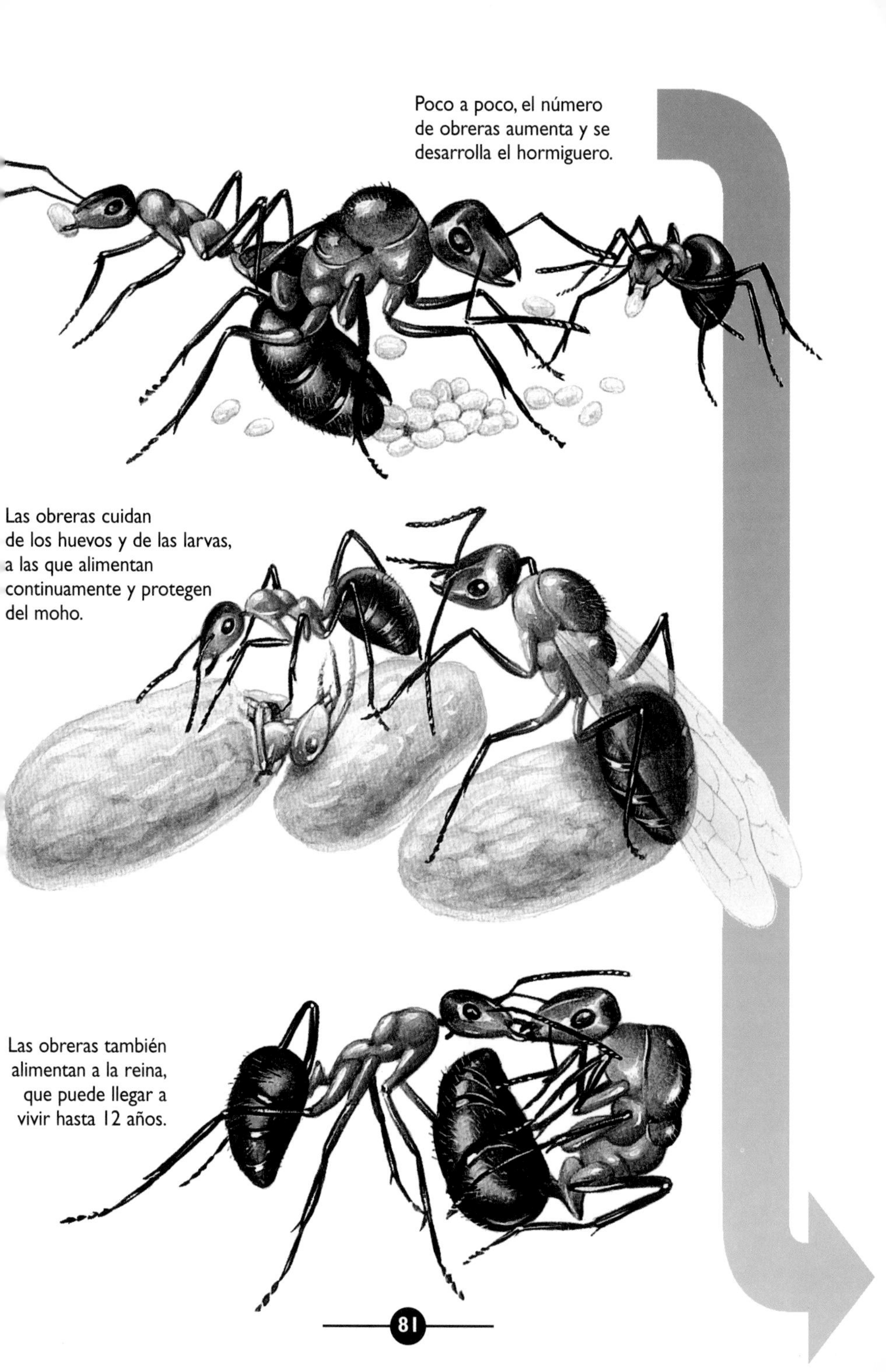

Poco a poco, el número de obreras aumenta y se desarrolla el hormiguero.

Las obreras cuidan de los huevos y de las larvas, a las que alimentan continuamente y protegen del moho.

Las obreras también alimentan a la reina, que puede llegar a vivir hasta 12 años.

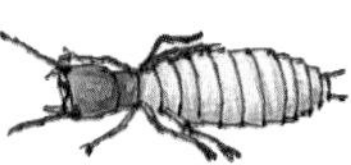

LAS TERMITAS

Los insectos
pág. 60

La diversidad de los insectos
pág. 70

La simbiosis
vol. 14 - pág. 26

Las termitas también son insectos como las hormigas y las abejas, aunque mucho más primitivas y afines a los blátidos, las típicas cucarachas que anidan en las casas, y, por tanto, no tienen una metamorfosis completa. Como no existen larvas a las que nutrir, tampoco existe su cuidado, así que desde que nace, cada individuo desarrolla su trabajo en el termitero independientemente. Mientras que las sociedades de himenópteros son matriarcales (porque sólo existe la reina y todas las obreras son hembras), las de las termitas están formadas por machos y hembras juntos (soldados y obreros, todos estériles) y crecen gracias a la presencia de una pareja real en cohabitación.
La reina de las termitas es fecundada varias veces a lo largo de su vida, no una sola como en las abejas o en las hormigas. Las termitas viven sobre todo en las regiones tropicales, donde representan un importante problema para las construcciones de madera, que devoran inexorablemente desde dentro. En España vive la especie denominada *termes lucífugus*, mientras que en la franja tropical existen más de 2 000, que se distinguen tanto por la forma de su cuerpo como por la estructura de los termiteros. Estos pueden ser subterráneos o visibles desde el exterior, con forma de seta, de columna o de montañas de hasta 6 metros de altura, o incluso esféricos, en las ramas de los árboles o colgados de las lianas.
Estas extrañas formas cumplen una función específica según las condiciones ambientales en que viven las diferentes especies. Algunas estructuras sirven para la termorregulación o para la ventilación, otras para resistir mejor la lluvia, etc. Las termitas se alimentan de madera y para digerir esta sustancia se sirven de la simbiosis con hongos que cultivan ellas mismas o de bacterias y protozoos flagelados que viven dentro de sus tubos digestivos y producen las enzimas necesarias.

Un termitero de la sabana. La parte superior cumple una función termorreguladora; en la subterránea se encuentra la cámara real y las celdas para el cultivo de los hongos simbióticos, que usan para digerir la lignina.

La forma de los termiteros varía según su función. La reina (arriba), pierde la alas tras la fecundación y se convierte en un saco lleno de huevos. Los soldados y las obreras, que siempre carecen de alas, pueden, dentro de la misma colonia, asumir formas diferentes.

Hojas masticadas

Hongo

Reina

Cultivo de hongos

Cámaras

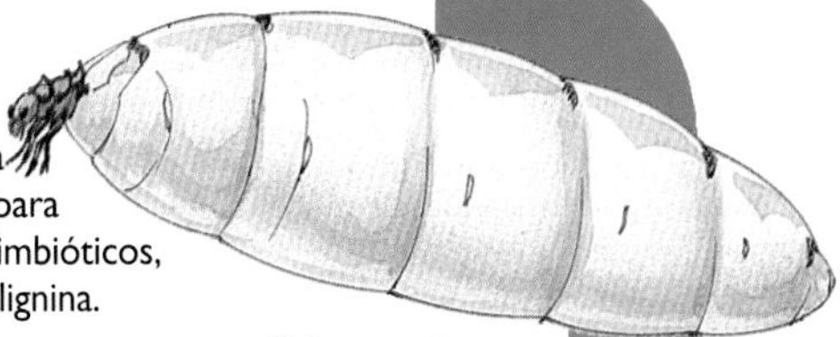

Primera reina

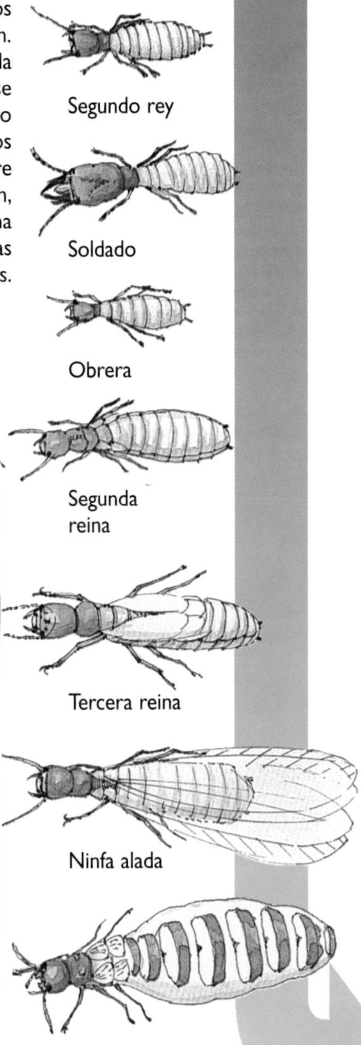

Segundo rey

Soldado

Obrera

Segunda reina

Tercera reina

Ninfa alada

Primer rey

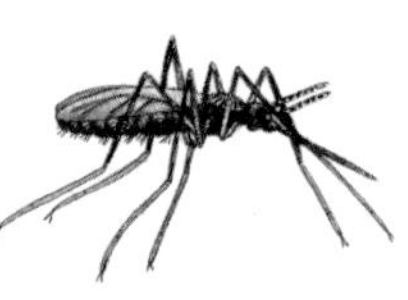

LOS DÍPTEROS

Los insectos
pág. 60

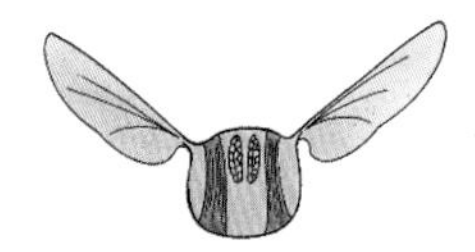

El vuelo de los
insectos

La diversidad
de los insectos
pág. 70

Moscas, tábanos y mosquitos: pocos insectos como los dípteros han representado y representan hasta ahora el fastidio, los daños y los peligros que los insectos causan a la humanidad. La gran resistencia a los insecticidas, la velocidad con la que se reproducen y la capacidad para aprovechar las situaciones y los recursos ligados a la presencia humana, hacen difícil toda forma de lucha. Además, debido a la presencia de estos animales, el ser humano se ve frecuentemente obligado a esparcir grandes cantidades de pesticidas que envenenan el ambiente o a sanear zonas pantanosas, destruyendo ecosistemas enteros de gran valor ambiental y económico.
Desgraciadamente, el problema de los dípteros es, sobre todo, de tipo sanitario: muchos de ellos se nutren de sangre y, por tanto, son portadores de peligrosas enfermedades que hoy en día todavía matan o hacen enfermar gravemente a millones de personas cada año, especialmente en las regiones tropicales. Los mosquitos son responsables de la transmisión de la malaria, de la fiebre amarilla y de microscópicos nematodos parásitos de la sangre, los llamados filarias. Puesto que las larvas

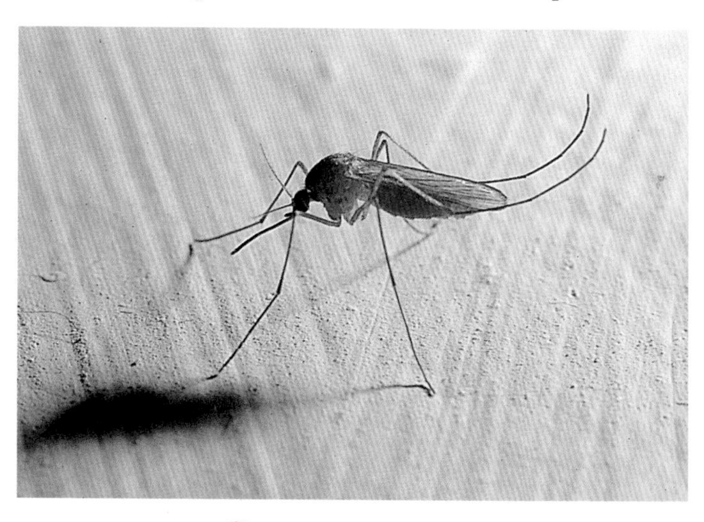

Sólo la hembra del mosquito, abajo en la página anterior y arriba, es hematófaga, por lo que va en busca de la sangre humana. Los machos se alimentan de sustancias vegetales.

Las larvas del mosquito viven adheridas a la superficie de las aguas estancadas y, en condiciones naturales, están controladas por numerosos organismos, entre ellos los peces.

El aparato bucal del mosquito consiste en una serie de agudos estiletes que perforan la piel de los vertebrados.

son acuáticas, consiguen reproducirse en enormes cantidades, no sólo en ambientes húmedos sino también en condiciones de degradación ambiental, en los pequeños charcos que se forman en los vertederos, por ejemplo, en los recipientes de plástico y en los neumáticos, en el alcantarillado al aire libre, etcétera. Las moscas tse-tsé transmiten la enfermedad del sueño en gran parte del continente africano, tanto es así que las áreas donde estos dípteros son particularmente abundantes se encuentran casi deshabitadas. También las comunes moscas domésticas, favorecidas por la presencia de desechos y que se posan sobre los alimentos, pueden ser la causa de epidemias como la salmonelosis y la peste, aunque no se nutran de sangre. Asimismo, para completar el cuadro, diferentes especies son parásitas de los tejidos o del intestino de muchos animales salvajes y domésticos y pueden incluso infectar ocasionalmente al ser humano.

LAS MARIPOSAS

Las mariposas, o lepidópteros, no necesitan ninguna presentación. Forma, color, fragilidad y movimiento son las cuatro cualidades que estos espléndidos animales traen a la mente. Aunque, en realidad, no todas estas cualidades corresponden a la gran mayoría de las especies de mariposas, que son las nocturnas, también llamadas falenas. De hecho, sólo las mariposas diurnas consiguen desencadenar pasiones en los coleccionistas, que empujan a algunas personas a desembolsar sumas impensables por estos pequeños animales de seis patas.

Hojeando un atlas de lepidópteros, ya sean papiliónidos de Nueva Guinea o noctuidos del Congo, se tiene la impresión de estar admirando objetos de arte y de recorrer una inmensa pinacoteca natural formada por al menos 165 000 cuadros: tantas son las especies de lepidópteros hasta ahora descritas, por no mencionar las numerosas razas geográficas y las variedades. ¿Pero por qué los colores de las mariposas diurnas son tan vivaces, mientras que los de las especies nocturnas son tan poco vistosos? Las alas de las mariposas, al igual que las plumas de los pájaros y las libreas de

Los insectos
pág. 60

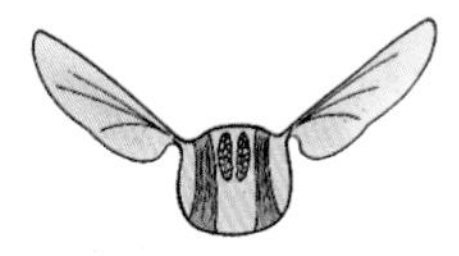

El vuelo de los insectos
pág. 68

La diversidad de los insectos
pág. 70

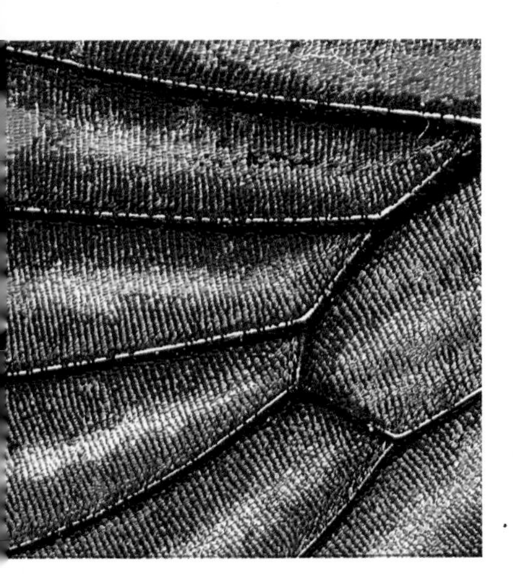

los peces coralinos, son el documento de identidad de las especies a las que pertenecen y sirven por tanto para enviar mensajes visuales de reconocimiento. Las mariposas nocturnas también tienen su documento de identidad, pero es de tipo químico: envían sus propios mensajes olfativos en el éter y perciben el de los otros individuos. He aquí el porqué las antenas de las mariposas, sus receptores olfativos, asumen formas particulares y generalmente son más complejas que las de los lepidópteros diurnos.

Las alas de las mariposas están recubiertas de gran cantidad de pequeñas escamas derivadas de la transformación de antiguas quetas y contienen los pigmentos responsables de la coloración. Otros colores, como los metálicos, son, en cambio, de origen físico y resultado de las interferencias de la luz sobre el relieve de las propias escamas.

En muchos lepidópteros, como en la mariposa sudamericana *Morpho rhetenor* o mariposa del cielo, existe un vistoso dimorfismo sexual, por lo que el macho (a la derecha) y la hembra (a la izquierda) parecen pertenecer a especies completamente distintas.

Muchos animales se alimentan de las mariposas y de sus orugas: (A) mariposa capturada por una araña; (B) por un camaleón; (C) por una mantis religiosa; (D) por una rana. Entre los depredadores de las mariposas diurnas figuran también numerosas especies de pájaros; las nocturnas, en cambio, son fundamentalmente presa de los murciélagos.

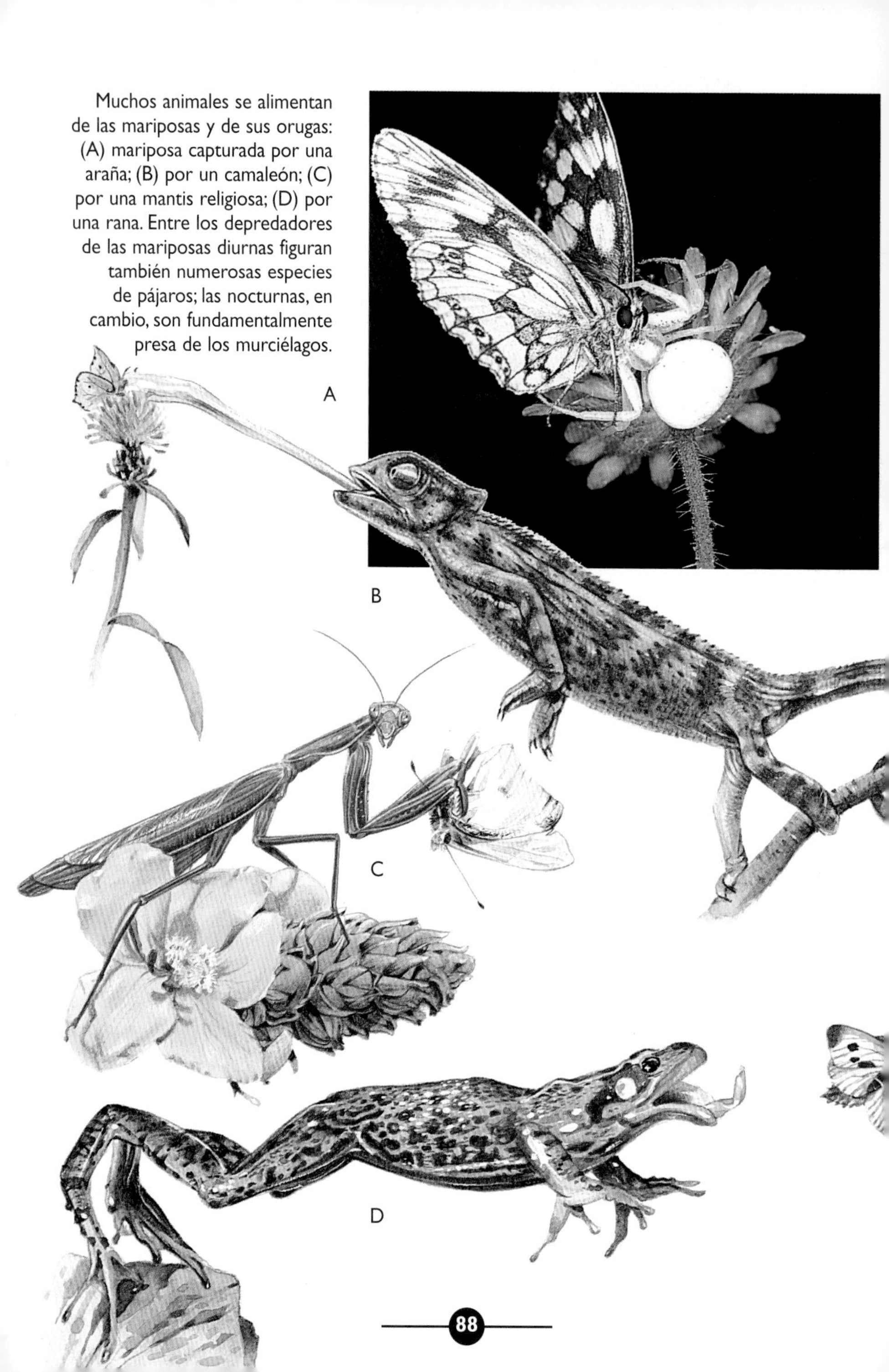

Para defenderse de los depredadores, las larvas de las mariposas ponen en práctica numerosas estrategias: algunas orugas imitan la cabeza de una serpiente (E); otras desorientan a los depredadores con extrañas formas que inspiran desconfianza (F); y algunas, además, poseen pelos urticantes que provocan dolorosas y persistentes quemaduras (G).

Los insectos
pág. 60

Los coleópteros

Ya sean grandes o pequeñas, vistosas o modestas sus libreas, los coleópteros evocan la imagen de animales acorazados: la fantasía se echa a volar ante la gran diversidad de formas y colores frecuentemente metálicos de sus esqueletos externos, que muchas veces llevan extravagantes apéndices y relieves. Cada forma tiene su función, pero esta última a menudo se nos escapa debido a nuestra completa ignorancia sobre la vida de la mayor parte de los coleópteros. A pesar del gran número de personas interesadas en los coleópteros por trabajo o por *hobby*, este orden de insectos compuesto por más de 300 000 especies (unas 12 000 en la península Ibérica) ofrece serias dificultades a los estudiosos.

La característica común de todos los representantes del presente orden es la transformación del primer par de alas en élitres, dos pequeños escudos más o menos convexos que recubren las alas inferiores, protegiéndolas cuando las tienen, y el abdomen. El resto del cuerpo puede cambiar notablemente: las piezas bucales pueden ser cortantes como en los carábidos, devoradoras de caracoles y lombrices; o bien trituradoras como en los tenebriónidos, que se alimentan de

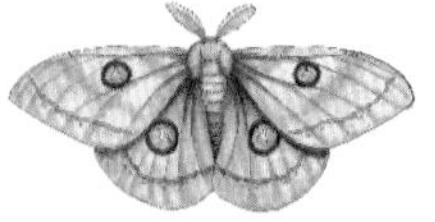

La diversidad
de los insectos
pág. 70

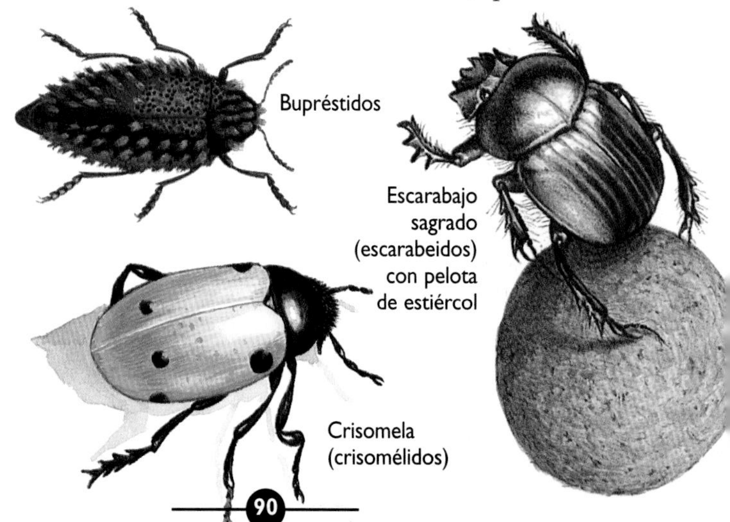

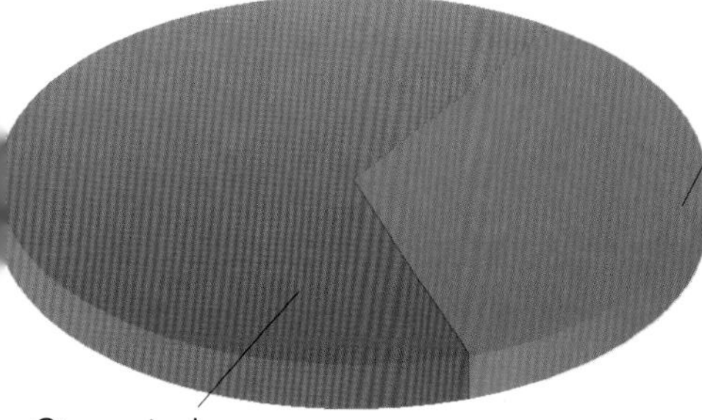

Los coleópteros son el orden más numeroso del reino animal y representan más del 40 % de las especies de insectos hasta ahora descritas.

sustancias vegetales, con toda una serie de pasos intermedios y de especialización. Las antenas pueden ser largas o cortas, gruesas o sutiles, simples o ramificadas, con grupos de segmentos modificados, en forma de peine, etc. Familias enteras, como los ditíscidos y los girínidos, se han especializado en la vida en agua dulce: las especies acuáticas de mayor tamaño pueden incluso capturar ranas y otros anfibios. Algunas especies de hidrófilos viven, además, en las pozas de los arrecifes, en agua marina.
Varios miles de especies se han adaptado para alimentarse de excrementos, favoreciendo su enterramiento y mezclándolos con el suelo. Numerosas especies se nutren de vegetales y pueden resultar inofensivas para las plantas de cultivo de interés agrario o forestal. Es el caso de los cerambícidos, cuyas larvas excavan galerías en los troncos de los árboles.

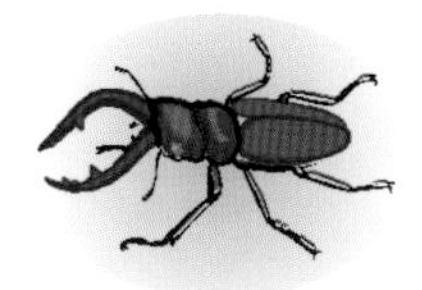

¿Cuántas especies existen?
vol. 9 - pág. 78

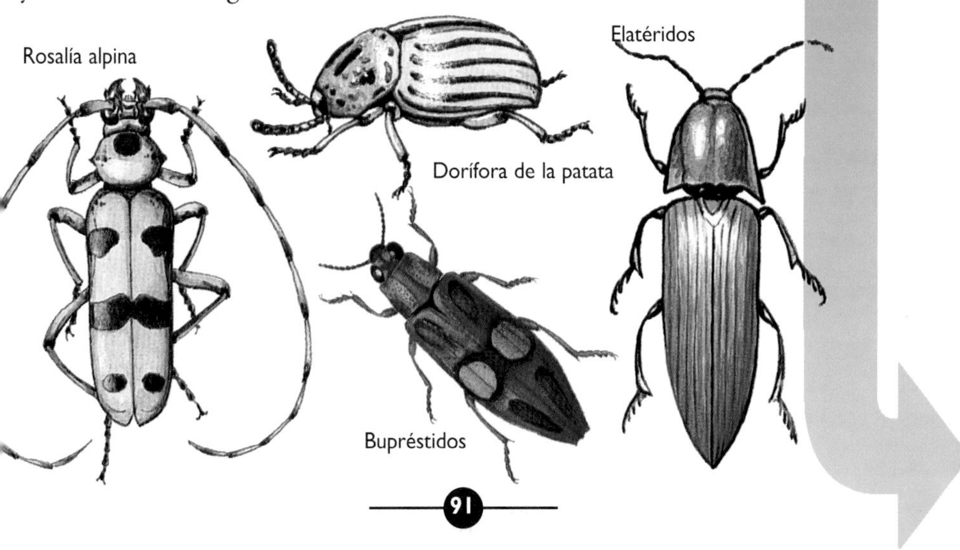

ÍNDICE ANALÍTICO

Los números en cursiva se refieren a la página en la que el argumento se trata de modo específico.

Créditos

Abreviaturas: a, alto; b, bajo; c, centro; d, derecha; i, izquierda.

Ilustraciones:
Todas las ilustraciones han sido realizadas por Inklink, Florencia, con la colaboración de Antonella Pastorelli, excepto las siguientes: Archivio DoGi, Firenze: 8-9b, 57a, ad, bi, b; Alessandro Bartolozzi: 9bd; Bernardo Mannucci: 15c; Sandro Ra-batti: 31a; Sebastiano Ranchetti: 60b, 91a.

Todas las ilustraciones de referencia en la cubierta y en el interior, que están dentro de las flechas y junto a los títulos de los capítulos, han sido realizadas por Bernardo Mannucci (elaboración por ordenador) de Alessandro Bartolozzi (ilustración) excepto las siguientes:
Laura Ottina: 8a, b, 14a; Francesco Petracchi: 10b, ad, 18a 28a, 30a, 32 a; 34a, 36a, 42a, 44a, 46a, 50c, 52a, 54a, Claudia Saraceni: 10a; Daniela Sarcina: 84ad.

Fotografías:
Agenzia Contrasto/Pacific Stock/ Fleetham: 27, 38; Centro Ligabue, Venecia: 11; Bob Cranston, San Diego: 51b, 56b; Andrea Innocenti, Florencia: 40-41c, 53, 55, 58, 63, 65b, 65c, 69, 84, 85, 88; K&B, Florencia: 33a; Museo di Geologia e Paleontologia, Florencia: 10a, 11d; Promise, Roma/Alberto Luca Recchi: 19, 20, 23, 24, 26, 28, 33, 35, 36, 37, 43, 48, 49; SIE, Roma/Fausto Giaccone: 16; SIE, Roma/Stock Market/Charles Krebs: 87c; SIE, Roma/Stock Market/Donna McLaughlin: 17; SIE, Roma/ Stock Market/Norbert Wu: 25, 47; SIE, Roma/Zefa/F. Lanting: 87d; SIE, Roma/ Zefa/F. Nicklin: 39b; Smithsonian Institution, Washington: 10b; L. Vignoli, Roma: 45b.

Cubierta:
Promise, Roma/Alberto Luca Recchi.